U0064610

劉福春・李怡 主編

民國文學珍稀文獻集成

第一輯

新詩舊集影印叢編　第 6 冊

【《分類白話詩選》卷】

分類白話詩選

（一名：新詩五百首）

上海：崇文書局 1920 年 8 月版

許德鄰　編

花木蘭文化出版社

國家圖書館出版品預行編目資料

分類白話詩選（一名:新詩五百首）／許德鄰　編 -- 初版 -- 新北市：花木蘭文化出版社，2016
〔民 105〕
246 面；19×26 公分
（民國文學珍稀文獻集成．第一輯．新詩舊集影印叢編　第 6 冊）
ISBN：978-986-404-622-5（套書精裝）
831.8　　105002931

ISBN-978-986-404-622-5

民國文學珍稀文獻集成・第一輯・新詩舊集影印叢編（1-50 冊）
第 6 冊

分類白話詩選（一名：新詩五百首）

編　者　許德鄰
主　編　劉福春、李怡
企　劃　首都師範大學中國詩歌研究中心
　　　　北京師範大學民國歷史文化與文學研究中心
　　　　（臺灣）政治大學民國歷史文化與文學研究中心
總 編 輯　杜潔祥
副總編輯　楊嘉樂
編　輯　許郁翎
出　版　花木蘭文化出版社
社　長　高小娟
聯絡地址　235 新北市中和區中安街七二號十三樓
　　　　電話：02-2923-1455／傳真：02-2923-1452
網　址　http://www.huamulan.tw 信箱 hml 810518@gmail.com
印　刷　普羅文化出版廣告事業
初　版　2016 年 4 月
定　價　第一輯 1-50 冊（精裝）新台幣 120,000 元
版權所有・請勿翻印

分類白話詩選
（一名：新詩五百首）

許德鄰 編

崇文書局（上海）一九二〇年八月八日出版。原書三十二開。

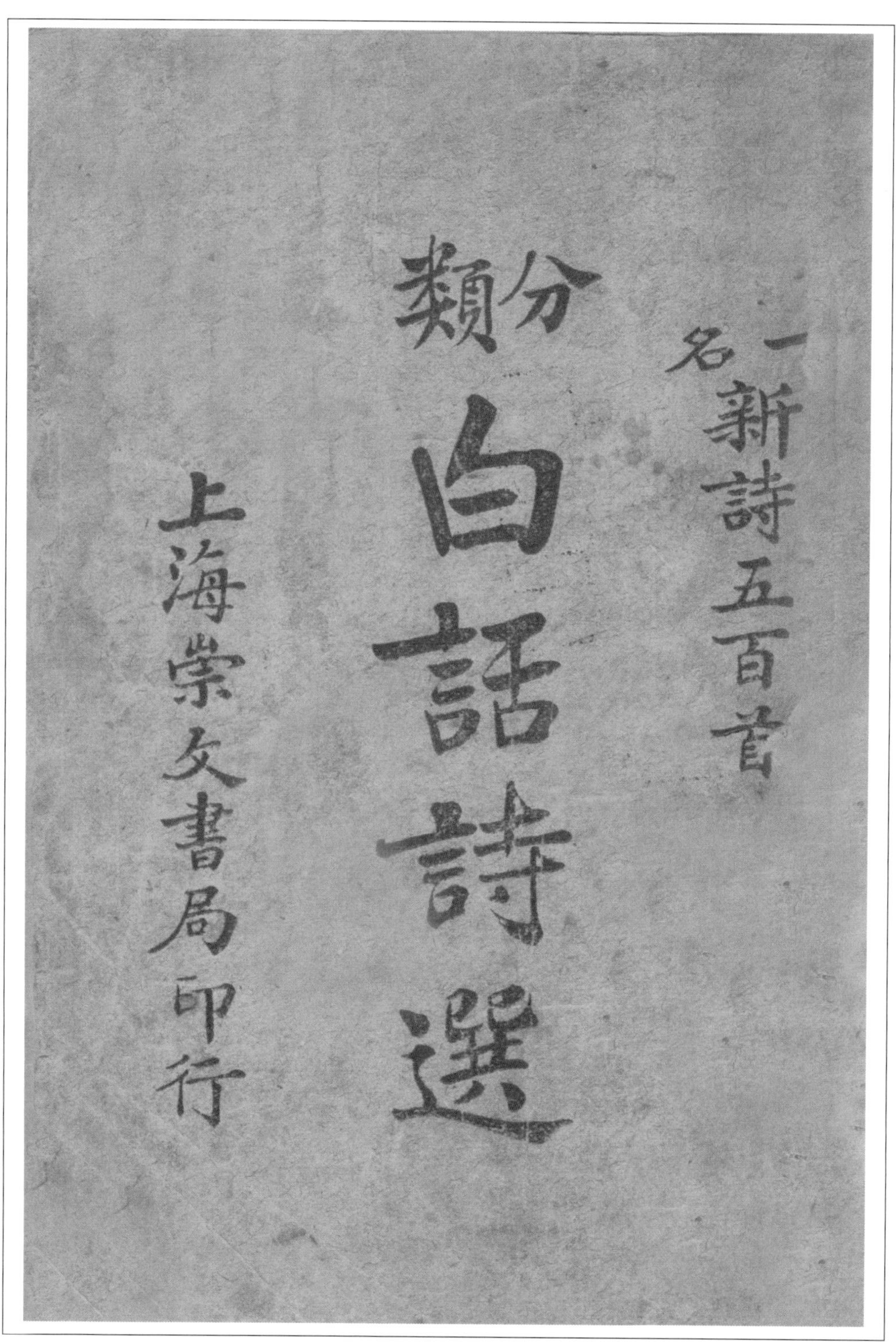
一名新詩五百首
分類白話詩選
上海崇文書局印行

分類

白話詩選

◉自序

『詩，』『古詩，』『近體詩，』『新詩，』這（詩學）的發達。要算我們中國頂早。詩的發源。原是古時的歌謠。散見在經書上的就是這是人人都曉得的。不過在當時還不能成一種獨立的學科。自從（風雅頌）三百篇以後。（詩）的名義。完全成立了。但是三百篇詩的通例。雖然四言的居多。內中却有一言的。二言的。三言。五言。七言。八言的。並不是同。後來的律詩一樣死釘著一種規格。就是諧聲押韻。也並不拘定。什麼呆板的法律。不用韻的也很多。所以還算是（自然的）「宋朝人硬定出一種叶韻的方法來。實是罪惡」自從漢魏六朝直到初唐。五言詩盛行。這算是改變了一種形式。然而從此以後。詩的束縛和矯揉造作的弊病。却一天深似一天。所以在我看起來只好算是詩的退化

隋唐以下的樂府。和古體詩。比較漢魏六朝的四五言詩。解放了許多。搆造也大半用白描的筆墨。自是詩史上的進化。可惜大多數的詩人。做樂府和古體詩的很少。就中最流行，最傳染。流弊最深的詩體。就是律詩。律詩的平仄對偶。成了刻板的四方格子。誰也能一學就會。一班詩人大約都在律詩上博他風雅的虛名。又用那些又冷又澀。嚼不碎。不消化。的典故。做了。對偶。的資料。七礶八湊。似是而

非。謅成了八句東西。教人看了。越糊塗。他偏越說古雅典麗。我從前也在這個迷陣裏轉過幾個圈子。後來自己覺悟了。狠笑自己無謂。所以十年的光景。絕口不談詩。有人問我。我便借了蒲榴仙的一句滑稽話說『從此不做詩。是藏拙之一道。』却想不到近來社會上的詩人大文豪。却應運而生。竟多得『不可思議。』什麼某某詩集。某某詩稿。某某詩餘。也有登在報紙上的。也有私家專刻的。「光怪陸離」鬧得人家目迷五色。只可憐李玉溪的無題詩。被他們拿去做了幌子。王次回的疑雨集。竟造成了第十九重的地獄。無非是『粉香脂膩』『瘦綠肥紅』一種肉麻討人厭的聲音。或者故意裝出牢騷抑鬱的樣子。學那『三閭大夫的憔悴行吟。』或者鈔些『梵語』『玄詞』參些『野狐禪』却自以為『亭亭物表。皎皎霞外。』又有幾個老而不死無恥的詞章家。戴著假面具。坐在高臺上。壯他們的形勢。把一種狠優美的文藝。糟到極點。我平時看了。很盼望再出來一個秦始皇。狠狠的坑他們一下才好。但是我也知道。我這種消極的思想。是毫無價值的。就是梁啓超蔣觀雲那一班人。所說的詩學革命。也是有名無實的。我嘗想把古代的歌謠樂府，唐宋的小令、元曲，簡那白描的，純潔的，集成一種書。做一個詩界革命的『楔子。』又苦於奔走四方。做那寄生蟲的活計。不能償我的志願。到了前年。看見胡適君的提倡新詩。心裏歡迎的了不得。我就東鱗西爪的。抄錄了許多。覺得內中真有狠高尚的理想。和優美的感情。也夠得上說有『絃外之音。』

近來做白話詩的人一天多似一天我抄錄的白話詩也一天多一天在這個草創的時代雖不能說來（凡是白話詩）都是好的然而比較那些虛僞的偶像和剪綵爲花的推敲總覺得有賢不肖之感爲什麼呢?因爲做舊詩的人十九都有彫琢塡砌的毛病高等的挽了『擬古』的成見把他自然的神韻和眞實的意義都掩藏起來只求合著古人的步趨和種種的假面目所以無論如何悲壯感慨或奇華與麗總覺得是做作是『假的詩』不是『眞詩』白話詩的好處就是能掃除一切假做作假面目有什麼就說什麼所以形式上的『美』雖不能十分滿足但是純任自然總覺得是『眞實的』不是『假做作』的這就是新詩與舊詩精神上的優劣明理的人自能領會並非我一味偏袒白話詩哪……

我們要研究白話詩要先曉得白話詩的『原則』是『純潔』的不是『塗脂抹粉』當作『玩意兒』的是『眞實』的『不是虛的』是『自然』的不是『矯揉造作』的有了這三種精神然後有做白話詩的資格有了三種精神然後一切格律，音韻的成例都可以打破而且，功夫既深自有一種天然的神韻天然的音節合著人心的美感比較那些死拘平仄泥定韻脚的聲音總要高出萬倍呢所以有人說新詩無韻如何算得是『韻文』我說這個人不但不懂新詩簡直連古詩也不懂得罷

白話詩的好處就是上面所說的各種雖然是我個人的『一孔之見』似乎『是非尙不大謬』不過

現在正在創造的時代。總得要經過多數人的研究，和多數精神的磨練。然後能夠達到圓滿的目的。要求經過多數的研究，和磨練第一步的辦法。須要把白話詩的聲浪竭力的提高來。竭力的推廣來。使多數人的腦筋裏多有這一個問題。都有引起要研究白話詩的感想。然後漸漸的有『推陳出新的希望』這個就是編這一部白話詩稿的本意。至於分門別類的編製。原不是我的初心。因爲熱心提倡新詩　諸君子。却有這一個模範。我就學著步武。表示我『同聲相應』的『誠意』。我更盼望白話詩的成稿『與時俱增』。居然達到圓滿的目的。那時我國的文學想想看已到了什麼程度?

……呀，豈不快樂…………

民國九年六月杪　吳興許德隣序

◉劉半農詩序

我前面雖做了這篇序文自己覺得學識很淺。對於詩學（所以、要、革、命）的理由。說來不十分滿意。想著新青年「三卷五號」上。有一篇劉半農先生的詩論。說的很透徹。很明白。雖然有些激烈的語氣。但是對於現在的一班詩人。眞是一種當頭棒喝。所以把他載在下面。請大家看看。

許德隣

朱熹「詩傳序」曰、「人生而靜、天之性也、感於物而動、性之欲也、夫既有欲矣、則不能無言。既有言矣、則言之所不能盡、而發於咨嗟咏歎之餘者、必有自然之音響節奏。而不能已焉。此詩之所以作也。」曹文埴「香山詩選序曰」、「自知詩之根於性情、流於感觸、而非可以牽强爲者。而彼尙嵬嵬焉比擬於字句聲調間也。則曷反之於作詩之初心。其亦有動焉否耶。」袁枚「隨園詩話」有曰、「須知有性情、便有格律、格律不在性情外。三百篇半是勞人思婦率意言情之事。誰爲之格。誰爲之律。而今之談格調者。能出其範圍否。」可見作詩本意。只須將思想中最眞的一點。用自然音響節奏寫將出來。便算了事。便算極好。故曹文埴又說、「三百篇者、野老征夫遊女怨婦之辭皆在焉、其悱惻而纏綿者、皆足以感人心於千載之下」、可憐後來詩人靈魂中本沒有一個「眞」字。又不能在自然界及社會現象中放些本領去探出一個「眞」字來。却看得人家做詩眼紅手癢。也想勉强胡謅幾句。自附風雅。於是眞詩亡而假詩出現於世。　(現在做假詩的。大約占百分之九十七八。我們如何可以不求革新呢？)

「國風」是中國最眞的詩、——「變雅」亦可勉强算得、——以其能爲野老征夫遊女怨婦寫照、描摹得十分眞切也。後來只有陶淵明、白香山、二人可、算眞正詩家。以老陶能於自然界中見到眞處。老白能於社會現象中見到眞處。均有絕大本領、決非他人所及。然而三千篇「詩」、被孔丘删賸了三百十一篇、其餘二千六百八十九篇中、僅有絕妙的「國風」、這老頭兒糊糊塗塗、用了那極不確當

白話詩選　劉半農序

六

的「思無邪」的眼光、將他一概抹殺、簡直是中國文學上最大的罪人了、（孔子刪詩的疑問狠多、現在也沒有工夫說。但是思無邪三個字說他極不確當、似乎太含混了、不可不辨。）

現在已成假詩世界。其專講聲調格律、拘執着幾平幾仄方可成句、或引古證今以爲必如何如何、始得對得工巧的、這種人我實在沒工夫同他說話。其能脫却這窠臼而專在性情上用功夫的、也大都走錯了路頭。如明明是貪名愛利的荒傖、卻偏喜做山林村野的詩。明明是自己沒甚本領、却偏喜大發牢騷、似乎這世界害了他什麼。明明是處於靑年有爲的地位、卻偏喜寫些頹唐老境。明明是感情淡薄、卻偏喜做出許多極懇摯的「懷舊」或「送別」詩來。明明是欲障未曾打破、卻喜在空闊幽渺之處立論、說上許多可解不解的話兒、弄得詩不像詩、偈不像偈、諸如此類、無非是不眞二字在那兒搗鬼。自有這種虛僞文學、他就不知不覺與虛僞道德互相推波助瀾、造出個不可收拾的虛僞社會來。至於王次回一派人說些肉麻淫豔的輕薄話、便老着臉兒自稱爲情詩、鄭所南一派人死抱了那「但教大宋在、即是聖人生」的頑固念頭、便搖頭擺腦說是有肝胆有骨氣的愛國詩、亦是見理未眞之故。『未嘗謂中國無眞正的情詩與愛國詩、語雖武斷、却至少說中了一半。』近來易順鼎樊增祥等人、拚命使着爛汚筆墨、替劉喜奎梅蘭芳王克琴等做斯文奴隸、尤屬喪盡人格、半錢不値、而世人竟奉爲一代詩宗、又康有爲作「開歲忽六十」一詩、長至二百五十韻、自以爲前無古人、報紙雜誌、傳載極廣、據我看來、即置字句之不通押韻之牽强於不問。單就全詩命意而論。亦恍如此老已經死了、兒女們替他發 通哀啓。又如鄉下大姑娘進了城。回家向大伯小叔擺闊。胡適之先生說仿古文章。便做到極好。亦不過在古物院中添上幾件「逼眞贋鼎」我說此等沒價值詩。尙無進古物院資格。只合拋在拉圾桶裏。痛快痛快。

我讀了這一篇論詩的文。覺得有年限底感觸。一時也不知從那裏說起。總而言之。要做詩。必須要有（高尚眞確的意想）和（優美純潔的感情）才有做新詩的資格。願同志努力。

許德鄰

白話詩選　劉半農序　八

白話詩的研究

(一)胡適先生提倡新詩的緣起

白話詩的第一個發起人就是胡適先生。他有一部詩稿叫(嘗試集)。就是他這幾年來。決心做白話詩的成績。還有一篇序文是他說明所以做白話詩的理由，和經過的情形。我特意的把他載在下面。請諸君細細一看。一則可以理會得做新詩的旨趣二則可以排泄種種懷疑的障礙物。是於白話詩的進行上。很有關係的。不過胡先生的原文很長。我只得擇緊要的摘錄下來。不但看了容易記憶。並且也可有些思考的腦力。(鄭)

胡適先生道、

我現在自己作序。只說我有什麽要用白話來做詩這一段故事。可以算是嘗試集產生的歷史。可以算是我個人主張文學革命的小史。

我做白話文學起於民國紀元前六年。……到民國前二年。可算是一個時代。這個時代。已有不滿意於當時舊文學的趨向了。我近來在一本舊筆記裏。(名自勝生筆記。)翻出這幾條論詩的話。

作詩必使老嫗聽解，固不可。然必使士大夫讀而不能解。亦何故耶?

白話詩的研究

二

東坡云「詩須有爲而作」元遺山云、『從橫正有凌雲筆，俯仰隨人亦可憐』

這兩條上都有密圈，也可見我十六歲時論詩的旨趣了。

又跋自殺篇一段云：吾近來作詩、頗有不依人後徑，亦不專學一家、命意固無從摹倣、即字句形式，亦不爲古人成法所拘、蓋頗能獨立矣、

答永叔書一段：適以爲今日欲救舊文學之弊、預先從湔除文勝之弊入手。今人之詩、徒有鏗鏘之音。貌似之詞耳。其中實無物可言。其病根在於重形式而去精神。在於以文勝質。詩界革命。當從三事入手，一須言之有物。二須講求文法。三當用「文之文字」時，不可故意避之。三者皆以質救文之弊也。（以質救文。是當今文化革新的唯一要義。也就是（自然）的第一步。（鄒））

「詩之文字」一個問題。也是很重要的。因爲有許多人。只認風花雪月，蛾眉，朱顏，銀漢，玉容，等字。是「詩之文字」做成的詩，讀起來，字字是詩、仔細分析起來、一點意思也沒有、（意思是詩的精神、但是一班詩人、那裏有眞確的意思、簡直是塡砌雜湊罷了、）所以這主張用樸實、、無華、的白描工夫，如白居易的道州民。如黃庭堅的題蓮華寺。如杜甫的自京赴奉先詠懷。這一類的詩。詩味在骨子裏。在質不在文。沒有骨子的濫調詩人。決不能做這類詩。所以我的第一條件。便是「言之有物」因爲注重之點。在言中的「物」。所以用的文字。不問他是「詩的文字」。還是「文的文字」。

文學革命。在吾國史上，非創見也。卽以韻文而論。三百篇變而爲騷。一大革命也，又變而爲五言七言。二大革命也。賦變而爲無韻之駢文。古詩變而爲律詩。三大革命也。詩之變而爲詞。四大革命也。詞之變而爲大曲。爲劇本．五大革命也。何獨於吾所持文學革命論而疑之。……德之文學革命。至元代而極盛．其時之詞也。曲也。劇本也。小說也。皆第一流之文學。其時吾國，眞可謂有一種「活文學」出現。倘此革命潮流。……不遭明代八股之刼。不遭前後七子復古之刼。則吾國之文學。已成俚語的文學．而吾國之語言。早成言文一致之語言。可無疑也。…惜乎。五百餘年來。半死之古文。半死之詩詞。復奪此「活文字」之席而「半死文學」遂苟延殘喘以至於今。今日文學革命。何可更緩耶？

梅覲莊來信大駡我，他說、 讀大作如聽蓮花落眞所謂革盡古今中外詩人之命者。足下誠豪健哉。 蓋今之西洋詩界。若足下之張革命旗者，亦數見不鮮。…皆喜詭立名字，號召徒衆。以眩駭世人之耳目。…信尾又添兩段說： 1 文章體裁不同。小說詞曲固可用白話，詩文則不可。 2 今之歐美狂瀾橫流，所謂「新潮流」者。耳已聞之熟矣。誠望足下勿剽竊此種不值錢之新潮流。以哄吾國人也。

這封信使我很不心服，因爲我主張的文學革命，祇是就中國今日文學的現狀立論．和歐美文學的新潮流，並沒有關係，有時借鏡於西洋文學史、也不過是三四百年前歐洲各國產生「國語文學」的歷史。因爲中國今日，國語文學的需要、很象歐洲當日的情形，我們研究他們的成績，也許使我們減少一點守舊性，增添一點勇氣。覲莊硬派一個「剽竊此種不值錢之新潮流以哄國人」的罪名，我如何能心服呢？

永叔來信說：……白話自有白話用處，（如小說演說等）然不能用之於詩。如凡白話皆可爲詩，則吾國之京腔高調，何一非詩。……吾嘗默省吾國今日文學界，即以討論，老者如鄭蘇龕陳伯嚴輩，其人頭腦已死，只可讓其與古人同朽腐。其幼者如南社一流人，淫濫委瑣，亦去文學千里而遙。……如吾儕欲以文學自命者，舍自倡一種高美芳潔之文學，更無吾儕廁身之地。……唯以此（白話）作詩，僕則期期以爲不可。…假令足下之文學革命成功，將令吾國之作詩者皆京腔高調，而陶謝李杜之流，將永不復見於神洲，則足下之功，又何若哉。

我答永叔說：…白話入詩古人用之者多矣，（此下舉放翁詩及山谷稼軒詞爲例）……總之白話之能不能作詩，——此一問題全在吾輩解決。解決之法，不在乞憐古人，謂古之所無今必不可有。而在吾輩實地試驗。一次（完全失敗）何妨再來，若一次失敗，便「期期以爲不可」，此豈科學的精神所許乎？

答永叔詩很長，我且再鈔一段，

（1）文學革命的手段，要令國中之陶謝李杜敢用白話京腔高調做詩。……

（2）文學革命的目的。要令白話京腔高調之中。產出幾許陶謝杜李

（3）今日決用不著「陶謝李杜」若陶謝李杜生於今日。仍作當日陶謝李杜的詩，決不能有當日的價值與影響。何也、時代不同也。

（4）吾輩生於今日、與其作不能行遠不能普及的五經，兩漢，六朝，八家文字、不如作家喻戶曉的水滸西遊文字。與其作似陶，似謝，似李似杜的詩．不如作不似陶謝白話詩、……吾志決矣、自此以後、不更作文言詩詞、（這是胡適君第一次的決心）……新文學之要點約有八事、

（一）不用典，（並非成語）

（二）不用陳套語、（並非成語、乃是從前通行的濫調）

（三）不講對仗

（四）不避俗字俗語

（五）須講求文法　以上爲形式的一方面、

（六）不作無病之呻吟、

（七）不摹倣古人須語語有個我在．

（八）須言之有物、　以上爲精神（內容）的一方面、　參觀新青年第二卷五號（文學芻議）說的很詳細

白話詩的研究　六

我的嘗試集。……我初回國時、朋友錢玄同說我的詩詞、(太文了)、美洲的朋友、慊太俗、北京的朋友慊太文、很覺奇怪、後來平心一想、這話眞不錯、……這些詩的大缺點、就是仍舊用五言七言的句法、句法太整齊了。就不合語言的自然。不能不有截長補短的毛病．不能不時時犧牲白話文法、來牽就五七言詩的句法。　音節一層也受很大的影響．第一，整齊劃一的音節，沒有變化、實在無味。第二，沒有自然的音節，不能跟著詩料、隨時變化、　因此我到北京以後、認定一個主義、若要做眞正的白話詩、……和白話的自然音節，非做長短不一的白話詩不可。　這種主義可叫做詩體大解放。……就是把從前一切束縛自由的枷鎖鐐銬，一切打破，有什麼說什麼，要怎麼說，就怎麼說，這樣方才有眞正的白話詩、方才可以表現白話的文學可能性。　嘗試集第二集的詩。雖不能做到這個目的，但大致都朝著這個目的做去。

以上說嘗試集發生的歷史、現在且說我爲什麼印行這本白話詩集。　我的第一個理由是因爲這一年來白話散文，雖然傳播得很快很遠．但是大多數的人、對於白話詩，仍舊懷疑，還有許多人，不但懷疑、簡直持反對態度、　因此我覺得這個時候，有一兩種白話韻文的集子出來。也許可以引起一般人的注意。也許可以供贊成，和反對的人，作一種參考的材料。　第二，我研究白話詩，已經三年了，我很想把這三年的試驗結果．供獻國人、作爲我的報告、……　第三無論試驗的成績如何、我覺得…有一件事可以供獻大家。……就是這本詩所代表的「實驗精神」 近來稍稍明白事理的人。都覺得中國文學有改革的必要。即如我的朋友任永叔他也說「嗚呼適之吾人今日言文學革命、乃誠見今日文學有不可不改革之處。非特文言與白話之爭而已。……我們認定「死文字決不能產生活文學」故我們主張若要造一種活的文學。必須用白話來做文學的工具。我們也知道單有白話、未必就能造出新文學。我們也知道新文學必須要有新思想做裏子。但是我們認定白話。實在有文學的可能。實在是新文學的唯一利器。我們對於這種懷疑這種反對。沒有別的法子可以對付只有一個法子，就是科學家的試驗方法。 科學家遇著一種未經實地證明的理論只可認做一個假設；須等到實地試驗之後方才用試驗的結果來批評那個假設的價值。我們主張白話可以做詩，因爲未經大家承認，只可說是一個假設的理論。（現在承認白話詩的人不少了，做白話詩的人，也一天比一天多了，這試驗的成績，是狠有希望的了。）

我們這三年來，只是想把這個假設用來做種種實地試驗。——做五言詩，做七言詩，做嚴格的詞，做極不整齊的長短句，做有韻詩，做無韻詩，做種種音節上的試驗，——要看白話是不是可以做好詩。要看白話詩是不是要比文言更好一點。 這是我們這班白話詩人的「實驗精神」……（下略）

（二）新詩略談

宗白華

白話詩的研究　　八

我日前會着康白情君談話，談話的內容是「新詩問題。」因時間短促，沒有做詳細的討論。但却引起了我許多對於新詩的感想，今天寫出來請諸君的指教。

近來中國文藝界中發生了一個大問題，就是新體詩怎樣做法的問題。就是我們怎樣纔能做出好的眞的新體詩？（沫若君說眞詩好詩是「寫」出來的，不是做出來的，這話自然不錯。不過我想我們要達到「能寫出」的境地，也還要經過「能做出」的境地。因詩是一種藝術，總不能完全沒有藝術的（學習與訓練的）。現在我們且研究怎樣方能做出或寫出新體詩。

我想詩的內容可分爲兩部分，就是「形」同「質」。詩的定義可以說是：「用一種美的文字……音律的繪畫的文字……表寫人底情緒中的意境。」這能表寫的適當文字就是詩的「形」，那表寫的「意境」就是詩的「質」。換一句話說，詩的「形」就是詩中的音節和詞句的構造；詩的「質」就是詩人的感想情緒。所以要想寫出好詩眞詩，就不得不在這兩方面注意。一方面要做詩人人格的涵養，養成優美的情緒，高尙的思想，精深的學識。一方面要作詩底藝術的訓練，寫出自然優美的音節，協和適當的詞句。但是要達到這兩種境地，……卽完滿詩人人格和完滿詩底藝術……有什麼方法呢？這個問題，我本沒有做過具體的研究；不過昨天同康君談話的當中，偶然得了些感想，自己覺得還有趣味；所以特寫出來，請諸君看可用不可用？

現在先談詩底形式的問題詩形試的憑藉是文字。而文字能具有兩種作用(一)音樂的作用。文字中可以聽出音樂式的節奏與協和(二)繪畫的作用。文字中可以表寫出空間的形相與采色。所以優美的詩中都含着有音樂，含着有圖畫。他是借着極簡單的物質材料……紙上的字跡…… 表現出空間時間中極複雜繁富的「美。」

那麼，我們要想在詩的形式方面有高等技藝，就不可不學習點音樂與圖畫，（及一切造形藝術如彫刻建築。）使詩中的詞句，能適合天然優美的音節，使詩中的文字能表現天然圖畫的境界。況且圖畫本是空間中靜的美，音樂是時間中動的美。而詩，恰是用空間中間靜的形式……文字的排列…… 表現時間中變動的情緒思想，所以我們對於詩要使他的「形」能得有圖畫底形式的美，使詩的「質」(情緒思想)能成音樂式的情調。

以上是我偶然間想的訓練詩藝底途徑。不知道對不對。以下再談點詩人人格養成的方法:

康白情君主張多讀書，這話不錯。我所說多與哲理接近也有這個意思。不過我以爲讀書窮理而外，還有兩種活動是養成詩人人格所不可少的:

(一)在自然中活動。 直接觀察自然現象的過程，感覺自然的呼吸，窺測自然的神祕，聽自然的音調，觀自然的圖畫。風聲，水聲，松聲，潮聲，都是詩聲的樂譜。花草的精神，水月的顏色，都是詩意詩境的範本。所以在自然中的活動，是養成詩人人格的前提。因「詩的意境」就是詩人的心靈，與自然的神祕互相接觸映射時造成的直覺靈感，這種直覺靈感是一切高等藝術產生的源泉。

(二)在社會中活動。　詩人最大的職務，就是表寫人性與自然，而人性最真切的表示，莫過於在社會中活動……人性的真相，只能在行為中表示……所以詩人要想描寫人類人性的真相最好是自己加入社會活動，直接的內省與外觀，以窺看人性純真的表現。

以上三種：……哲理研究，自然中活動，社會中活動……我覺得是養成健全詩人人格必由的途徑。諸君以為如何?

總結所談，撮旨如下：「詩」有形質的兩面，「詩人」有人我的兩方。新詩的創造，是用自然的形式，自然的音節，表寫天真的詩意與天真的詩境；新詩人的養成，是由「新詩人人格」的創造，新藝術的練習，造成健全的，活潑的，代表人性，國民性的新詩。

以上宗君所說的，蓄理甚深，鄙人盼望諸同志，要細心研究裏面的條件，時時修鍊，養成新詩人的(人格)那麼，不但新詩的發育，可以與時俱進，并且於「道德上」。「心理上」。「社會」「風俗上」都有極良善的結果。願大衆努力。　許德鄰

(三)詩的音節

執信

神州日報登了胡懷琛先生「讀胡適之嘗試集」一篇、就音節一方面、來批評新詩。後來胡適之先生又在時事新報登了一篇、對於懷琛先生所改的、表示不滿足、同時解釋嘗試集裏頭的音節。這是很有益的事、因爲現在的做舊詩的人、也不懂舊詩的音節、許多做新詩的人、也不懂新詩的音節、是很危險的情、將來要弄到詩的破產。

去年在本誌的紀念號、適之先生曾有一篇「談新詩」裏頭第四節專論音節、舉出兩個重要分子、一個是語氣的自然節奏、一個是每句內部用字的自然和諧、但是他所舉的「平仄自然」「自然的輕重高下」到底還是說得太抽象、領會的人恐怕不多。餘外所舉、儘管是雙聲韻例、今人家覺得似乎詩的音節、就是雙聲疊韻。到現在說明「要想不相思」這一首、還是用雙聲叠韻來做理由、那差不多更容易惹起誤解。

懷琛先生所批評、我實在不敢同意。他講「當年曾見先生之家書」要改作「當年見君之家書、」把『娟逸』改做「雄逸」都是不懂新詩音節、不懂作詩人趣味的證據。把多字改做再字、尤其無理。因爲「何可多得」說話、很像現在有這個人、而實在是沒有這人以後評論他的神氣、這才是詩人的口氣。如果用「何可再得、」本來是應該沒有這個人以後的說話、却用在現在有這個人在前、而豫想到異時何可再得拚命珍惜的的時候、那才是詩人壓榨出自己情緒的巧妙。試讀古人的「甯不知傾城與傾國佳人難再得、」和「良時不再至離別在須臾、」可以見得用再字的方法。如果用「當年」一定用「再」字、那是做試帖和八股小題的規矩、不是做詩的工夫。如果要這樣照應、恐怕將來的詩、要弄到「案奉將軍家書內開……等因奉此出來了。」

他改「也無心上天」做「無心再上天」也是一樣不懂音節的毛病、這話都留在後面講。

但是適之先生的答復、只說明「也想不相思」一首是用雙聲叠韻的嘗試、和句中用韻的嘗試、却並沒有說明這幾句所以是自然輕重高下的緣故、所以雖然是講了一大通、到底人家不懂、假如說雙聲叠韻就是好的、「那李義山的落日諸宮供觀閣開年雲夢送烟花、」就可以作聲調譜的模型、蘇黃游戲的口氣詩也算上等了。然而沈約講究聲病、他偏要避忌聲韻相同的幾個例是什麼緣故呢。適之先生「談新詩」那一篇裏頭、已經表明把段低、七個陰聲字、和擋、彈等四個陽聲字、參錯互用、可以顯得出三位的抑揚頓挫、這就是不能識雙聲叠韻籠統解釋的暗示。然而究竟無論用雙聲叠韻的字、抑或非雙聲叠韻的字、都應該另有一個標準、雖然是狠困難、(縱使非不可能)然而暗示他一個大略的框子架子、未必是做不到的事情。這研究新詩音節、正是一個闡明一切詩的音節的好機會。

我從起首懂得一點字義的時候、就有一個想頭、是「音節斷不能孤立的、」這個想頭、到現在還沒有更改。然而我的學問一天退一天、看書所得的、比起所忘記的來、眞是算不得數、所以這個想頭、也一向不能再進步・只有十二三年前當教員的時候、曾經對學生發過一段議論、這個議論、不甚專爲詩發的、然而在詩一方面、尤其顯箸。我說的是。

一切文章都要使所用字的高下長短、跟着意思的轉折、來變換。

我叫他做「聲隨意轉。」譬如「西出陽關無故人」的「關字、是全篇所注意的、經過他這一個字、纔到「人」字、所以關字長而高、人字長而下。那上句「勸君更盡一杯酒」的「酒」字・因爲是促起下句的、所以雖然用頂高音、不用長音。這是全首詩的意思、流注傾向、到這一路、生出來的。如果是「兩岸猿聲啼不住輕舟已過萬重山・」上句的落字「住」就較低較長、下句「過」字較低而「山」字就高且長。因爲這個「啼不住」是直貫下去的、他的意思是在過萬重山、而他的神理是在猿啼不住。所以要用這住字這一種類的音、來煞上句、拖長上句的聲音、却不令他過高、來挑起下句的不調和。下句用「山」字結一句、這「過」字不能停頓、所以不用高音的字。一個字在一句裏、是不合自然音節，不能憑空拿字音來說、一定要從有這個音的字、在一句一章裏頭的位置、來判定他這個音、是不是合於音節。

然而用字決不是如此束縛的、有許多時候、是應該注重在這一個義的效能、就把音的效能、來放在第二或者竟犧牲了。就如「池塘生春草、」這個春字、如果照普通來講、一定用走聲的字、較低較長、纔好轉折。和李長吉的「不知花雨夜來過、但覺池台春草長」的春草、一定要用清平纔好、剛剛相反。然而「池塘生春草」的價値、並沒有減少。因爲這個春草、位置在役格、受生字的動詞作用、春字不過是役格的形容詞。在一般人看春草、本來當一個字、所以春草還是結成一氣、春字就跟着草字短了下來、而生字的音仍舊長。假使「生春」兩個音、表一個動作、光是草一個字、表示受動作的物件、那這個說法、就完全不能適用了。這一層叫做「音受義的干涉。」因爲字在句中的職役不同、所以讀他先有長短高下不同了、然而在每一個合成字的煞尾、和一句之末、這個仍舊難通融。古人用韻所以漸漸弄到止有句末、又漸漸弄到止有偶數末用韻、都是這個原故。

以上所講的、仍舊不過兩條暗示、然而我已覺得很可以作爲探路的一個小火把。我們先拿他來照照適之先生「讀新詩」裏頭、所舉的例。他說「我生不逢建章柏梁之宮殿、」如果換做仄平仄平仄平平平平仄、」就不見得他的音節很好、所以舉出逢宮梁章疊韻、不逢柏建宮雙聲、來說明。但是如果我們用注音字母、寫起這一句來試讀一下、就曉得還要拗口不覺得音節很好。他這一句裏頭、適之先生把這個當做兩節、我以爲不然、拏「生不逢堯與舜禪」來比較、可以曉得、這一句堯字獨一字而成一節、應該注意）之宮兩個也是襯字、所以不字和宮字在句子裏頭發生的影響較少。他這句子、逢字是注重的、讀長的音、却不要高、梁章兩個一濁、一清、恰合他一順叫下來的兩個、殿結煞這個殿字、恰是受上頭那一個逢字的動作用較高而仍舊長的字、來同下文游宴相應、而下文游字、聲音太低、故此用宮字在上頭來補救他。這一層可以拿「人生不學李西平手梟逆賊淸神京」來比較）如果把字義抹了去、這音節便不成立。

不特在一句裏頭、在全章裏頭、有一句是境意忽然變轉的、他的音節、也要急變。上頭適之先生那首蝴蝶詩「也無心上天」一句正是這個例。上頭一路「不知爲什麼一個復飛還、剩下那一個孤單太可憐」四句、都是一路沉下去的。到這句一揭高了、便用「心」字接連用個「天」字用「無」「上」兩個字來跌起他、因爲句勢先緩後急、所以前頭還用「也」字。「也無心」三個字已經高了、「上」字折在中間、比較還是高的、促起下頭這個「天」字、所以能副這一句的神氣。若果改做「無心再上天」前頭兩個字、覺得聲還不彀、下頭「再上天」着了「再上」兩個低音、聲音便加長了、成了平宕的句子、完全不能和這一句位置上所要求的音節相符合。所以音節不是一句一句可以講的、到這句意思轉了、調也要轉、從前五古轉韻的、如「靑靑河畔草」一章轉一個意思、轉一個韻、後來七古轉韻大概都是跟前例的。還有通篇一個平韻、照尾忽用兩句仄韻來收的、尤其明顯。姜白石說「篇終反通篇之意」

實在如果已反通篇之意、當然也反通篇之調了。（韓退之喜歡拗氣、有時不等講完、忽然轉韻、轉了韻一兩句後、再轉意思、如（嗟哉董生行便是一例）

這個原則從前的人、像沒有提出、然而實在是人人踐履的。所以要改「也無心上天」做「無心再上天」的、眞是不曉得如何叫做音節和諧、我要學從前考書院的辦法批一句、「再求將舊詩的內容曉得清楚。」

至到「也想不相思」一首、適之先生雖然自己解釋許多、在我看却不滿足。這不滿足有兩層。一層是烹練的不足：他前兩句「也想不相思可免相思苦」、免字是韻、不能殺不在免字以前、把全句意思送足。然而這個可字、完全沒有力氣、檢直是一個多餘的字、而把這樣高而且宏的音壓在免字上、(所以令讀的人不能感覺這免字是韻）弄到免字的效能、到減少了。我想這句當初應該是「也想不相思免却相思苦」、却因爲韻的關係、把來改做「可免」。其實這個「想」字、是想要如此如此、不是想像如此可以如此。「免相思苦」是所想的、「不相思」是手段、兩句原是一句串下去的、用了「可」字、便神氣不對、近於趁韻。這是一個短處。還有一層、就是音節太促迫單調：本詩四句、押兩個相思苦、在末尾、已是很單調的了。頭一句「也想不相思」、音節是很好的。第二句是可字的毛病。第三句本來是筋節、而「幾次細思量」五字裏、弄了四個做叠韻。「次細思」三個字、音本來都是長的、碰到四個字叠韻下來、就單調得難堪、其勢一定弄到縮短他的聲音到疊字纔放這個音節配在這個地方實在不相宜、因爲和上頭也想不相思的活潑音調、不能取平均。況且底下還顧兩個字、也沒有揭高、所以後半的音節、變了很促迫很單調的。這是用叠韻比用雙聲字更難的地方、所以我於適之先生這個解釋、不敢說滿足。

懷琛先生講送任永叔那首詩、要把「送你」改做「送君」「天意」改做「天公」說是聲音長整、方有天然的音節。其實這前一句「便又送你歸去未免太匆匆」韻押在匆字、上頭的送字和他相呼應、自然不能再著一個君字、這樣高而且長的音在中間、減殺送字的效能。如果是在去字押韻的、就可以改做君字了、那是到去字斷句、去字以前、不能不參一個高而較圓的音。（歸字太扁）現在這句惟恐人家讀去字長了、下半句接不上、所以托上半句壓到不能十分暢遂、纔能彀整句的音節恰合。這個例如果拿我上頭所講兩條來批評他、覺得很簡單易解。

音節決不是就這樣可以有刻板的規則定出來的。然而我相信將來講音節、一定還要借這種規則的一部的幫助。將來能彀有比我所暗示的更明細、更包括的規則出來、就是我所最希望的了。

近來自命作舊詩的、往往拿很淺的意、用很深的字眼表出來、這是艱深文淺陋、最可笑的。但是如果用很淺的字眼、來寫出那很淺率無意味的意思、那就更不成話。我們要求用很淺的字眼、很少的字數、表出很深很複雜的情緒、所以看了好懂的、都是很難做的。這難做的原因、音節要占大部分、易懂的緣故、還有一部分在音節。所以明了音節是這樣一個情形、率爾操觚的、總會少一點。

分類 白話詩選卷一

寫景類

許德鄰編

◉暮色垂空　繹

少年中國一卷九期

暮色自垂空；
近景已迢遞
隱約耀霞輝，
明星初上時！
飛象在暗裏浮沈，
薄霧在空際淒迷；
反映著暗影陰森，
湖水靜來無語、
俄見連邊天際，
髣髴月明如火；
纖柳細細如絲，
絲枝弄湖波、
姮娥底靈光委佗，
涓涓的夜景淸和，
淸和的情趣由眼到心窩、

◉江南　繹　康白情

（一）

只是雪不大了，
顏色還染得鮮豔。
赭白的山，
油碧的水，
佛頭青的胡豆。
橘兒擔着；

驢兒趕着；
藍褲兒穿着；
板橋兒給他們渡着。

（二）

赤的是楓葉，
黃的是茨葉，
白成一片的是落葉。
坡下一個綠衣綠帽的郵差，
撐着一把綠傘——走着。
坡上踞着一個老婆子，
圍着一塊藍圍腰，
咵咵的吹得柴響。

（三）

柳樁上拴着兩條大水牛。

茅屋都鋪得不現草色了。
一個很輕巧的老姑娘，
端着一個撮箕，
蒙着一張花帕子。
背後十來隻小鵝，
都張些紅嘴，
跟着他叫着。
顏色還染得鮮豔，
只是雪不大了。

◉雪　繹

易漱瑜

（一）室中

天上變了銀灰色，
那白砂糖似的東西，都是濺着，
大圈兒，紛紛的飛下。

對面森森的樹影，一刻刻的看不清白。
一對小雀兒站在屋簷邊，
正找不着一個棲身的地方——
他們『可渥底斯可渥底斯』的商量了好
一會，
忽向這銀灰色的遙空裏飛去不見了、
巷子中間那株小樹，
頃刻間添上了無數的花朵。
幾個小孩子撐着兩傘踹着高脚，
笑嘻嘻的走來走去，
好像沒有比今天還有趣似的。

(二)路上

雪花一陣陣向我的臉上吹來，
但也不覺得怎麼樣冷。
祗還着雪厚的路邊走去，
靴上並不曾染着一點兒汚泥，
脚下還有一種趣谷趣谷的聲音，
入耳十分的清脫。
兩邊的枯艸，
都低着頭兒裝出他們的羞澀。
兩個工人推着一滿車的貨物，
忙忙的走去，
頭也好，脚也好，任他雪花飛着，寒風吹着，
只口裏你一句，我一聲，
好像是說『誰啊誰啊，誰知道我們的苦
楚啊？』
同路一個坐馬車的，
很高興的望着兩旁，

又好像是說，『我今日一回家園子裏又添了許多的景致了！』

(三)窗外

鵝絨毯鋪滿地上了，
繡球花開滿地上了，
　金盞兒裝滿屋上了，——
昨日的塵寰，
今日的玉海！
怎麼這們可愛喲，
　你這天然的景致，
那松樹一經裝飾，
　好像怕掉了珍珠似的，
　　連動也不敢動了。
雲啊！你有這樣藝術的天才，

為甚麼却只一年一降？
但是——
說你像銀子麼？你又很德謨克拉西的，
　到處都勞你佈滿了。
說你像棉花麼？有人還穿着單衣。
說你像麵粉麼？有人還吃不飽青菜。
雪啊！難道你只能為他們裝飾園亭麼？

康白情

◉朝氣　釋

窗紙白了。
鏡匣兒亮了。
老頭子也起來了；
小孩子也起來了；
娘們兒也起來了；
好雲霞喲！

好露水喲！
肩的肩鋤頭；
揹的揹背簍；
提的提筐簍——
一夥兒『上坡』去。

石塊兒也搬開了，
亂草也斬盡了，
所有荒蕪的都開轉來了。
挖上些窩窩，
種下些麥子。

把把的麥花；
蓬蓬的麥子。

看的也有了，
吃的也有了！

◉黃昏　左舜生　譯
(寄我的一個小學生)

兩道短堤，
密撕着四五十株古幹杈枒的柳樹。
這邊是清溜溜的深潭，
那邊是活潑潑的小河。
時候黃昏了，
遠望去，
一處——兩處——三處的炊煙——一縷一縷的。
天空的歸鴉陣陣，緊緊的自南向北。
那要落不落的夕陽，

襯着這九月的柳條，
映在他薔薇似的面上，
作淡黃的顏色，…………

◉鴿子　譯　胡適

雲淡天高，好一片晚秋天氣！
有一羣鴿子，在空中游戲，
看他們三三兩兩，
　迴環來往，
　夷猶如意，——
忽地裏，翻身映日，白羽襯青天，鮮明無比！

◉月夜　譯　沈尹默

霜風呼呼的吹着，
　月光明明的照着。
我和一株頂高的樹並排立着，
　沒却有靠着。

◉暮登泰山西望　康白情

(一)

白日隱約暮雲把他遮了：
一半給我們看；
一半留着我們想。
日的情麼？
雲的情邪？
誰遮這落日、
莫是崑崙山的雲麼？
破喲！破喲！
莫斯科的曉破了、(一)
莫要遮了我要看的莫斯科喲！

(二)

那不是黃河?
那一條白帶似的不是黃河?
你從崑崙山的溝裏來麼?
崑崙山裏的紅葉、
想已飽帶着一身秋了。

(三)

斑爛的石色,
赭綠的草色,
和這紅的、黃的、紫的、藍的、白的、鬆舖在一地的
山花相襯、人壓在半天裏。
這麼一塊紫細花的破袖——
花草都含愁、
爲着落日也爲着秋。
我說、『不用愁呵——
天地不老、我們都正在着花呵。——』

◉日觀峯看浴日　　康白情

東望東海,
鯉魚班的黑雲裏,
橫拖着要白不白的青光一帶。
中懸着一顆明珠兒,
憑空盪漾,
曲折橫斜的來往、
這不要是青島麼?
海上的魚麼?
火車上的燈汽船上的燈?——還是誰放的玩
意兒麼?
升了,升了,
明珠兒也不見了、

白話詩選卷一　寫景類

山下却現出了村燈。——一點——二點——
三點。
夜還只到一半麼？
還分明是冷清清的晨風，
分明是呼呼的吹着，
分明是帶來的幾句鷄聲，
日怎麼還不浮出來喲；
要白不白的青光成了藕色了。
成了茄色了。
紅了。——赤了。——胭脂了。
鯉魚斑的黑雲，
都染成了一片片的紫金甲了。
星星都不知道那裏去了；
却展開了大大的一張碧玉。

八

遠遠的淡淡的幾顆平峯，
料必是那海陸的交界。
記得村燈明處，
倒不是幾點村燈是幾條小河的曲處。
溼津津的小河，
隨意坦着的小河，
蜿蜒的白光——紅光，
髣髴是剛過了幾根蝸牛經過。
山呀，石呀，松呀，
只迷迷濛濛的抹着這莽蒼的密處。
哦，——一個峯邊的兩滴流晶紅得要燃起來。
了？他們都火鑽鑽的只管洶湧。
他們都彷彿等着甚麼似的只粘着不動。
他們待了一會兒沒有甚麼也就隱過去了。

他們再等也怕不再來了。
哦，來了！
這邊浮起來了——
一線，——半邊，——大半邊，——
一個凸凹不定的赤晶盤兒，只在一塊青白青
白的空中亂閃。
四圍彷彿有些甚麼在波動。
扁呀，圓呀，動盪呀，………
總沒有片刻的停住；
總活潑潑的應着一個活潑潑的人生；
總把他那些關不住了的奇光，
瑣瑣碎碎的散在這些山的石的，松的上面。

●玻璃窗

——玄廬

（一）

聲息肅靜、空氣全冰！
冷清清似陰非陰、似晴非晴。
壁爐裏生著活潑潑的火，斜映著玻璃窗兒紅
到明。

（二）

雪光！閃著淺紅淡紫的朝陽。
似微微的跳動似展開桃花紗漸漸鋪到山上，
屋上，地上，一霎時光明萬丈照眼！透過了玻璃
窗，正映着壁爐子裏活融融的火光。

（三）

好個玻璃窗——只可惜看見梅花聞不到香！
正在凝神想；
有一個脫籠鸚鵡，繞著滿屋飛翔！
呀！的一聲，正撞在窗子上——

血淋淋的望著遮不斷的光！——
但是誰給他當上？

◉西窗晚望

同德醫學

晚霞飛。西窗外。
窗外家家種青菜。
天上紅，地下綠。
夕陽落在黃茆屋。
屋頂的炊烟，絲絲、裊裊、團團、片片，直上接青天。
天邊歸鳥陣陣旋。肅肅飛過屋山顛。落影紛紛滿目前。
抬頭紅日沒。新月一鈎出。
鈎着樹梢頭。樹下烟流像水流。
菜田一半被烟漫。樹影也像烟那麼淡。
我也無心看。下樓吃晚飯。

再上樓來月已暗。滿天但有那繁星爛。
這便是一晚。這便是一晚。
這一晚太倉皇。那一天又何曾不太匆忙。
茫茫……我且閉西窗去尋老友莊。
同他討論『人芒我芒？人不芒我獨芒？』
茫茫……我只悔不該晚望。

◉無聊

劉半農

陰沉沉的天氣，
裏面一座小院子裏，楊花飛得滿天，榆錢落得滿地，外面那大院子裏，却開着一棚紫籐花、
花中有來來往往的蜜蜂，有飛鳴上下的小鳥；
有個小銅鈴，繫在籐上、
春風徐徐吹來，銅鈴叮叮噹噹，響個不止，

花要謝了；嫩紫色的花瓣，微風飄細雨似的，一
陣陣落下、

◉公園裏「的二月藍」　沈尹默

牡丹過了，接着又開了幾欄紅芍藥；路旁邊的
二月藍，仍舊滿地的開着，開了滿地，沒甚稀奇，大
家兒都說這是鄉下人看的。
我來看芍藥，也看二月藍；在社稷壇裏幾百年
老松柏的面前，露出鄉下人的破綻。

◉游絲　常惠

一天，我到新世界——上了那最高的一層樓。
夜已深了，樓上清淨得很，沒有別的人影；
往外面看去，燈光稀少，也聽不見車馬的聲音、
一點濛濛的月亮，照在這最高樓的旗杆頂上；
沾着一縷游絲，那一頭通得遠遠的，沾在天壇
頂上，
——有個飛薄的東西，像銅元一樣大，
在那游絲上，滾過來，滾過去——只是不定、

◉曉　劉半農

火車——求遠是這麼快——向前飛進，
天色漸漸明了，不覺得長夜已過，只覺車中的
燈，一點點的暗下來、
車窗外面：
起初是昏沈沈一片黑，慢慢露出微光，——
露出魚肚白的天，——露出紫色，紅色，金色的
霞彩、
是天上疏疏密密的雲？是地上的池沼？丘陵？
草木？是流霞？是初出林的羣鳥？依舊模模糊糊，
辨別不出、

白話詩選卷一　寫景類

太陽的光線，一絲絲透出來，照見一片平原，罩
着層白濛濛的薄霧；霧中隱隱約約，有幾墩綠
油油的矮樹；霧頂上托着些淡淡的遠山；幾處
炊烟，在山坳裏徐徐動盪，
這樣的景緻，是我生平第一次見到。
曉風輕輕吹來，很涼快，很潔淨，叫我不甘心睡。
回看車中，大家東橫西倒，鼾聲呼呼，現出那乾
枯——黃——白——死灰似的臉色！
只有一個三歲的女孩，躺在我手臂上，笑彌彌
的兩頰，像蘋果，映着朝陽。

◉山中即景

李大釗

(一)

是自然的美，是美的自然——
絕無人跡處，空山響流泉，

(二)

雲在青山外，人在白雲內。
雲飛人自還，尚有青山在。

新青年五卷三號

◉海濱

(一)

在無盡世界的海濱上，孩子們會集着。
無邊際的天，靜悄悄的在頭頂上，不休止的水，
正是喧騰澎湃。
在這無盡世界的海濱上，孩子們呼噪跳舞，會
集起來，

(二)

他們用砂造房子；用蛤殼玩耍；用枯葉做船；笑
彌彌的把他漂浮在大而且深的海裏。
在一切世界的海濱上，小孩子自有他們的游

戲。

（二）

他們不知道泅水；他們不知道撒網。
採珠的沒入水中去採珠；做賣買的駕着大船；
孩子們只是把小石子聚集攏了，又把他撒開。
他們不尋覓水底的祕寶；他們不知道撒網。

◉香山早起作寄城裏的朋友們

沈兼士

天剛明，披了衣，拄了杖，
散步到石橋旁，
坐在箇石頭上，
受的山水的供養。
靜悄悄地領略些帶露的草香，
聽一陣迎風的松聲，
赤脚臨水，洗脫了骯髒。
這時候，自然的樂趣，
同那活潑的小孩子一樣。
一忽兒，山頭上吐出了太陽；
金閃閃的光，照得北京城隱約可望。
一般都是太陽照的地方，
何以城裏那樣煩熱，
鄉下這樣清涼？

◉山中雜詩

沈兼士

腦弱失眠宵洗脚，眼疲抛卷午澆頭。
愛他冷冷清清的，傍着梅邊自在流。

◉江上

胡適

十一月一日大霧，追思夏間一景，因成此詩。

白話詩選卷一　寫景類

兩脚渡江來，
山頭銜霧出。
雨過霧亦收，
江樓看落日。

◉十二月十五夜月　胡適

明月照我牀，臥看不肯睡。窗上青藤影，隨風舞娟娟。
我愛明月光，更不想什麼。月可使人愁，定不能愁我。
月冷寒江靜，心頭百念消。欲眠君照我，無夢到明朝！

◉一顆星兒　胡適

我喜歡你這顆頂大的星兒，
可惜我叫不出你的名字。
平日月明時，月光遮盡了滿天星，總不能遮住你。
今天風雨後，悶沉沉的天氣，
我望遍天邊，尋不見一點半點光明，
回轉頭來，
只有你在那楊柳高頭依舊亮晶晶地。

◉滬杭道中

雨兒一絲一絲的下着，
畝畝的田園在雨裏浴着；
一片青黃底顏色，越發鮮豔欲滴了！
青的新出的秧針，
一塊塊錯落的鋪着；
黃的割下的麥了，
一把把的疊着；

還有深黑色待種的水田，
和青的黃的間着；
好一張彩色花氈啊！

一處處小河緩緩的流着；
河上有些窄窄的板橋搭着；
河裏幾隻小船自家橫着；
岸旁幾個人撐着傘走着；
那邊田裏一個農夫披着簑，戴着笠，
慢慢的跟着一隻牛將地犂着；
牛兒走走歇歇，往前看看。
遠處天和地密密的接了。
蒼茫裏有些影子，
大概是些叢樹和屋宇罷？
但是他們都給烟霧遮了。
我們在烟霧裏花氈上過着；
雨兒還在一絲一絲的下着。

◎游西子湖　小侶

（一）
久慕錢塘山水，
今日裏才划一葉輕舟，
這樣西子湖頭，令我好不歡喜；
國事蜩螗糟到這般田地，
吾還有什麼閒情逸致，
你對明湖諦視。

（二）
人說「六橋三笠，點綴得你絕美。」

吾說：『你好好兒在烟波裏』
爲什麼？有洋房建造骯髒了你，
使遊人反嫌你粗鄙。（令我同聲一哭）鄰

（三）

吾這番看你，你是這樣裝束，
不知道十年廿年你又是什麼樣子；
世界國家，又弄到什麼樣子；
就是吾又什麼樣子；
你也不知吾，吾也不知自己。

（四）

湖啊！湖啊！你既是名了西子，
應該珍重你自己身體，
切莫要一顰一笑，媚那浪子，
把好好兒湖山，牽涉到興亡裏。

一六　◉游北山雲林寺　小侶

（一）

結伴登山欣然就道，
趁此風光大好；
攀山越嶺，已說雲林到了；
怪石奇峯，松斜楓倒，
四面雲如抱。

（二）

一線天，理公巖，神工天造；
呼猿洞，通天洞，儘人探討；
青山依舊人終老，
山靈多事應失笑。

（三）

餉我羅漢飯，（是日在寺進素齋飯）款我壁蝶

茶，
禪味親嘗，此福眞幾生修到；
我何日裏洒脫塵埃，剪除煩惱，
帶得三分仙骨，長啖仙人棗。

（四）

可愛的是多情小鳥，
說：『你此時正巧，
花明柳暗春雲繞，
領略了湖山多少？』

◉日出　　沫若

（一）

哦哦，環天都是大雲！
好像是赤的遊龍，赤的獅子，赤的鯨魚，赤的象，
赤的犀。
你們可都是亞坡羅Apollo底前驅？

（二）

哦哦，摩托車前的明燈！
二十世紀底亞坡羅！
你也改乘了摩托車麼？
我想做個你的運轉手，你肯雇我麼？

（三）

哦哦，光底雄勁！
瑪瑙一樣的晨鳥在我眼前飛紛。
明與暗，刀切斷了一樣地分明！
明的是浮雲，暗的也是浮雲，
同是一樣的浮雲，爲甚麼有暗有明？
我守著看那一切的暗雲……
被亞坡羅底雄光驅除盡。

白話詩選卷一　寫景類

我總知四野底鷄聲別有一段底意味深湛!

◉登臨

——沫若

『終久怕要下雨罷?
快登上山去!
山路兒淋漓,
把我引到了半山的廟宇,』
,聽說是梅花名勝地。
哦死水一地!
幾片游鱗,
喁喁地向我私語:
『陽春還沒有信來,
梅花還沒有開意。』
廟中的銅馬,

還帶着夜來淸露;
馴鴿兒聲聲叫苦、
!馴鴿兒你們也有甚麼苦楚?
口簫兒吹着。
山泉兒流着,
我在山路兒上行着,
我要登上山去。
我快登上山去!
山頂上別有一重天地!
血潮兒沸騰起來了!
山路兒登上一半了!
山路兒淋漓,

枯鯇了我脚上的木履、
泥上留個脚印，
脚上印着黃泥，

脚上的黃泥！
你請還我些兒自由，
讓我登上山去！
我們雖是暫時分手，
我的形骸兒終久是歸你有。

唉，
泥上的脚印！
你好像我靈魂兒的像徵！
你自陷了泥塗，
你自會受人蹂躪、

喚，我的靈魂！
你快登上山頂！

口簫兒吹着.
山泉兒流着.
伐木的聲音丁丁着.
山上的人家早有鷄聲鳴着.
這不是個 Olchestr 麽？
司樂的人！你在那兒藏着？

啊
啊！
四山都是白雲、
四面都是山嶺，
山嶺原來登不盡！

前山脚下，有兩個人在路上行，
好像是一男一女，
好像是兄和妹，
男的背着一捆柴，
女的抱的是甚麼？
男的在路旁休息着，
女的在兄旁站立着，
哦，好一幅畫不出的畫圖！

山頂兒讓我一人登着，
我又覺着淒楚，
我的安娜！我的阿和！
你們是在家中麼？
你們是在市中麼？

你們是在念我麼？
終久怕要下雨了，
我要歸去．

●過印度洋　周無若

圓天蓋着大海，黑水托着孤舟。
也看不見山，那天邊只有雲頭。
也看不見樹，那水上只有海鷗。
那裏是非洲？那裏是歐洲？
我美麗親愛的故鄉却在腦後！
怕回頭，怕回頭，
一陣大風，雪浪上船頭，
颼颼，吹散一天雲霧一天愁。

●生機　沈尹默

刮了兩日風，又下了幾陣雪。

山桃雖是開着却冷壞了夾竹桃的葉。
地上的嫩紅芽，更殭了發不出。
人說天氣這般冷，草木的生機恐怕都被摧折；
誰知道那路旁的細柳條，他們暗地裏却一齊
換了顏色！

◉初冬京奉道中　曙光一卷二號

王統照

(一)

絲絲的陽光，透出清冷的空氣。
四望烟霧迷濛，中却隱藏着一個古舊奇詭神
祕污濁的都市！我年來的生活是在此中！
我這片刻的光陰却脫離了你。——

(二)

推窗四望——

但見墜落的枯葉，鋪滿了大地。
淺淺的幾道清流，却是滿浮了塵滓。
頹廢的古刹。
荒涼的墳墓。
滿眼裏——
蕭條，
殘廢，
都嵌入無盡的天邊裏！

(三)

蕭條，
殘廢，
是世界上的天然景物；
也是新萌芽植根的潛伏勢力。
但待到熙樂的春來，

有潤澤的風雨，
有可愛的花樹，
便點綴的眼前萬物都佈滿了美妙，惠愛，愉快，
壯麗。

◉春水船　新潮一·四·　俞平伯

太陽當頂晌午的時分，
爲春光尋遍了海濱。
微風吹來，
聒碎零亂又淸又脆的一陣。
呀！原來是鳥——小鳥的歌聲。

我獨自閒步沿着河邊，
看絲絲縷縷層層疊疊，
浪紋如織，
反盪着陽光閃爍，
辨不出高低和遠近，
只覺得一片黃金般的顏色，

對岸的店鋪人家，
來往的帆檣，
和那不盡的樹木房舍，
擺列一線——
都浸在暖洋洋的空氣裏面。

我只管朝前走：
想在心頭看在眼裏；
細嘗那春天的好滋味。
對面來個縴人，

拉着個單桅的船徐徐移去。
雙櫓插在舷唇。
皺面開紋，
活活水流不住。

船頭晒着破網。
漁人坐在板上。
把刀劈竹拍拍的響。
船口立個小孩，又憨又蠢，
不知爲什麼，
笑迷迷癡看那黃波浪。

破舊的船；
襤褸的他倆，

但這種『浮家泛宅』的生涯，
偏是新鮮，——乾淨，——自由，
和可愛的春光一樣。

歸途望。
遠近的樓，
密重重的簾幕。——
儘低着頭呆呆的想。

●冬夜之公園（新潮一・二・俞平伯）

『啞！啞！啞！』
隊隊的歸鴉，相和相答，
淡茫茫的冷月，
襯著那翠疊的濃林。
越顯得枝柯老態如畫。

兩行柏樹，夾着蜿蜒石路，
竟不見半個人影。
抬頭看月色，
似烟似霧朦朧的罩着。
遠近幾星燈火，
忽黃忽白不定的閃鑠：——
格外覺得清冷。

鴉都睡了；滿園悄悄無聲。
惟有一個鴉。突地裏驚醒，
這枝飛到那枝，
不知爲甚的叫得這般淒緊！
聽他彷彿說道，
『歸呀！歸呀！』

◉除夕入香山　新潮一·三·　羅家倫

陰風颯颯，寒日茫茫，
　靜悄悄的香山寺下，沒有別一個游人。
抵剩得半座空山同我窸呀窸的脚步兒相和相應。
野草彫零，糢糊了幾條舊徑；
　頹垣下的殘雪；——
　　高低歷亂，——
裝點出幾處新墳。
緩緩的向前去，忽聽得呼拍拍的一聲，
　知是一個小小的山鳥驚人。
鳥呀！我客裏遊山，何忍來驚動你。
鳥獨無聲，棲在枝上，

祇見那被殘雪洗過的松枝，又清又冷，

◉老頭子和小孩子 有序 新潮一・三・

傅斯年

這是十五年前的經歷，現在想起，
恰似夢景一般。

三日的雨，
接着一日的晴。
到處的蛙鳴，
野外的綠烟兒濛濛騰騰。
遠遠樹上的『知了』聲；
近旁草底的『蛐蛐』聲(一)
溪邊的流水花浪花浪；
柳葉上的風聲辟嚦辟嚦；

高粱葉上的風聲沙剌沙剌；
一組天然的音樂，到人身上，化成一陣淺涼，
野草兒的香，
野花兒的香，
水兒的香，
團團的鑽進鼻去；頓覺得此身也在空中蕩漾。
這一幅水接天連，晴靄照映的畫圖裏；
只見得一個六七十歲的老頭子，
和一個八九歲的孩子；
立在河崖地上。
髣髴這世界是他倆人的模樣。

(一)我們家鄉叫「蟋蟀」做「蛐蛐」叫「蟬」做「知了」。

◉深秋永定門城上晚景 新潮一・二

白話詩選卷一　寫景類　二六

傅斯年

我同兩個朋友，
　一齊上了永定門西城頭。
這城牆外面緊貼著一灣碧青的流水；
　多少顆樹，裝點成多少頃的田疇。裏面漫瀰的蘆葦，
　鑲出幾重曲折的小路，幾堆土隴，幾處僧舍，
陶然亭，龍泉寺，鸚鵡邱。城下枕著水溝，
裏外通流。
最可愛，這田間。
看不到村落，也不見炊烟；
　只有兩三間房屋，半藏半露，影捉捉在樹裏邊，
雖然是一片平衍，
　樹上卻顯出無窮的景色，
樹裏也含著不盡的境界，
　叢錯，深秀，迴環。
那樹邊，地邊，天邊，
　如雲，如水，如烟，
望不斷——一綫。
忽地裏撲喇喇一響，
　一個野鴨飛去水塘。
髣髴像大車音波，漫漫的工——東——噹。
又有種說不出的聲息，若續若不響，
轉眼西看，
　日已臨山。

初時離山尙差一竿；
　漸漸的去山不遠；
一會兒山頂上只剩火球一線；
　忽然間全不見。
這時節反射的紅光上翻。
山那邊，岡巒也是雲霞，雲霞也是岡巒；
層層疊疊一片，
　費盡了千里眼．
山這邊，紅烟含著青烟，
　青烟含著紅烟，
一齊的微微動轉；
　似明似暗：
山色似見不見——
　描不出的層次和新鮮。

只可惜這舍不得的秋郊晚景昏昏沉沉的暗淡；
　眼光的圈，匆匆縮短。
樹烟和山烟，遠景帶近景，一塊兒化做濃團。
回身北望，
　滿眼的渺茫；
白葦漸漸成黃葦；青塘漸漸變黑塘。
任憑一草一木都帶着萎黃——頹唐模糊模樣。
遠遠幾處紅樓頂，幾縷天竈烟，正是吵鬧場，繁華地方：
　更顯得這裏孤伶悽愴。
荒曠氣象

城外比不上他蒼涼；　一

（一）西山去此有三十餘里，故日甫下，山天已昏黑。

◉山中　新潮一・四・　顧誠吾

躑躅亂山中，走完了欹嶮的石路！
止在一重門口，此外別無去處。
太陽照着，沒有遮蔽，臉兒紅似火；
沒奈何，輕敲微咳，私下探看，喜無人守護。
走進門來，只見半廊小山，補牆缺，千竿竹，筱掩蓋屋宇。
太陽淡淡，竹聲蕭蕭，顯得這裏越靜，——我再也不能離去。
、不知這山何名？他主人何名氏？下面再游時，可能尋至？

整整的呆看兩小時，只覺此心，澄清如水，飛動如絲。

◉春意（二月作）新生活十一・　沈兼士

斜陽半院，松影遮廊，我在水廊上閒坐。
初春天氣，漸覺暖和，
廊下半開凍的方塘，注入清冷冷的春水，衝動冰澌，時起微波。
一雙白鴨，洗浴剛能，站在冰塊上，晒翅刷毛，快活不過。
活潑潑的小阿覲，對着這個景緻，卻也半晌不動，一聲不響的伴着我。

◉冬夜　社會新聲二・　李書渠

滿天布著黑漆似的烏雲，

什麼星兒？什麼月亮？都被他緊緊密密的遮着。
只有稀稀的幾盞灰色慘淡的路燈，
將這漫沈沈的黑暗點破。
大北風起了，
吹着那電線樹枝發嗚嗚的叫聲。
好像幾個怪獸在空中格鬥。
還有幾處的吠聲。
一起一落的與他應和。
在這寒冷森嚴的夜裏，一些人都早已睡了，
路上無一人行走。
那半明半暗的路燈也被風吹熄了幾個。
只聽得嗚聲吠聲，
連續震動人的耳膜。
忽然風中帶來一陣戰淋淋的嫩聲音，
『鹽水花生米喲』

●車行郊外 新潮 康白情

好久不相見了，
又長出了稀稀的幾根青草；——
卻還是青的掩不了乾的。
幾處做莊稼的男女
踞的踞着；
走的走着；
挖的挖着；
鏟的鏟着——
正散着在那裏辦他們的草地。
髣髴有些正笑着；
卻遠了也認不清楚。
嗚！嗚！
嗚嗚一溜我們就過了。

他們伸了伸腰，
都眼睜睜的把我們釘着。

(一)「踞」音「姑」，屁不着地而作坐形。
(二)「釘」音「定」。四川方言凝視叫做「釘」；「釘」有看著出神的意思。

●千秋歌　新潮一·五·　程裕清

一抹的夕陽淡淡，一片的淺草萋萋。
攜手同來，搭上了秋千，大家做個半天戲。
脚兒站穩，手兒把緊。
纔盪到東，又盪到西，上上下下；風吹我衣。
努力！努力！
要盪到牆兒一樣齊。
來！來！來！我與你爭個誰高低。

●登東唱城　新潮二·三·　傅斯年

月光光的，
夜寂寂的，
天曠曠的，
當這冷切切時節，
草蟲早避了我家四壁，
塞起嘴來，
埋頭在化做泥的畦溪；
只剩了幾個小鳥，
還未曾覺到枝兒安歇，
散些不耐寒的聲氣，
擾動這空空曠曠淡淡茫茫沉沉凝凝的空間，
——
更顯得天高景徹，氣候涼結，
我被這景兒叫喚，

走上城牆，
一望彌漫。
城裏燈火四散，
却被月色照着；
晨星一般的乍隱乍現。
外面雪亮亮的白地一片，灰沉沉的霜堤遠遠
相環。
夜色明得好，
月影遠景映得暗；
夢裏的顏色就是這般，
不像清醒白醒時的清煥。
年來夢不斷，
醒後每逸羡。
夢境息息刻刻變；
還記得他的景色，
不離了似明似暗。
拿今夕比他，
只差在一靜一流，
行止一般的牟牽連，無意願。
孤伶伶的立着想，
心緒結成些團團。
趕緊囘家，
經過樹邊，
驚了幾處的棲鳥，
黃葉亂紛紛飄散。

●桑園道中　新潮　康白情

我經津浦路往上海，午後熱氣蒸騰，
車上實在難受。所幸到了滄州，滿天的

白話詩選卷一　寫景類

陰雲蜜布起來，一陣陣的飄風冷吹起來，跟着大點大點的「偏東雨」亂打起來。一時秋氣瀰空，脾冒爲之開沁。約莫到了桑園的地方，雨就住了，太陽也漸漸的要落坡了。那一種品瑩清爽的風光，簡直撲人眉宇。這眞是可愛——十分的可愛喲！

甚麼塵垢都被雨洗空了。
甚麼賦煩都被涼掃淨了。
只剩下靈幻的人，
四圍着一塊靈幻的天。
山哪，嵐哪，
雲哪，霞哪，
半山上的烟哪，

裝成了美麗簇新的錦繡一片。
遍地的濃濕，
反映出燦爛的金色，
越顯得他無窮的化力。
溝水不住活活的流着；
淡烟不住在柳條兒邊浮繞；
暮鴉不住斜着肩兒亂飛；
人卻隨着他們；——心似流水般的浪轉。
好一個動的世界！
一個活鮮鮮的世界！
天——啊，你是有意厚我們麼？
是無意厚我們邪？
哦，——遠了。
快不見了。

這樣的自──然!
這樣的人生!──
但他倆各走各道兒,
卻一些兒也留戀。

◉天安門前的冬夜 新潮二・一・

羅家倫

(一)

黑沉沉的天,
　緊貼着深灰色的土;
四面望不見一個人影,
好像我一身站在荒野裏;──
　靜無聲息。──
　心頭所有的──孤寂,荒涼,恐怖!
光!
啊!你在何處?

(二)

一陣溼風
　送來滿臉的濃霧。
霧裏面忽然有一顆隱隱約約的微星,──
　「叮──噹!」
星前彷彿有個東西在動,──
　那也是人嗎?
一轉念更起我心頭無限的悽楚!

白話詩選卷一　寫景類　三四

分類

白話詩選卷二

寫實類

◉一個大工業中心地　譯　少年中國一卷九期

（一）

一條條齷是汙穢不堪的街道；
每一條街上列著一眼望不透的屋、
你那走疲了的脚上黏滿了黑色的灰塵，
你所過著的人個個臉上都是灰塵，
恐怕他們心裏也堆滿了灰塵。
他們做夢的地方也堆滿了灰塵。

（二）

惱人的春色靚妝濃抹的珊珊來遲了。
但此地沒有一個人知道他的名字
工作就是他們一生的目的
工作，工作，工作！為他們的妻為他們的子。
工作為一個人生——當已經受生做個人；——
為一個太陽底下極愁慘的人生。

（三）

工作——在一個昏暗無邊枯澀寡歡的工場，
找不出一點甚麼陽光；
工作，為豐富別人的享樂，
工作，為他們找出一點甚麼開心，
工作，沒有希望，沒有休息，沒有和平；
祗有到死的那天才得安靜。

（四）

兄弟們啊，你們飽食煖衣的兄弟們！

他們在黑夜裏做工是爲着何人?
上帝今要問你們幹了些甚麼事情;
他們的命——一個一個——都要問你們索。
因爲他們一樣的開心一樣的愛生活,
却爲著了你們在地獄裏!去工作!

大白

◉賣布謠(一)

(一)

嫂嫂織布;
哥哥賣布、
賣布買米、
有飯落肚、

(二)

嫂嫂織布;
哥哥賣布、
小弟褲破、
沒布補褲、

(三)

嫂嫂織布;
哥哥賣布、
是誰買布?
前村財主、

(四)

土布粗;
洋布細.
洋布便宜.
財主歡喜.
土布沒人要.
餓倒哥哥嫂嫂!

●賣布謠（二） 前人

（一）
布機軋軋；
雄雞啞啞．
布長夜短．
心亂如麻。——

（二）
四更落機；
五更趕路．
空肚出門．
上城賣布．

（三）
上城賣布；
城門難過。——
放過洋貨，
捺住土貨。——

（四）
沒錢完捐．
奪布充公．
奪布猶可．
押人太凶，——
饒我饒我；——
拘留所裏坐坐。——

●公園門口 光佛

外國公園門口，
坦蕩蕩的一條馬路；
一個黃包車夫從西到東，剛剛的使勁向前奔；
車上坐的一位上流體面人的東方克魯巴特金，

白話詩選卷二　寫實類

快跑——快跑——
沒有括面的風，沒有淋頭的雨，也沒有像火
一般的太陽相照；
那湊人用力的天氣呵！
總算是十分好．
車中人還好像是口中念念有詞，
伸了一伸懶腰把頭向右肩一掉；
越顯出岸然道貌．
嗤的一下掠過去了，
又一陣回風送轉來；
彷彿是低低的幾聲人道——人道了……
…… ……

玄廬

◉工人樂

人說：「冷在風，窮在銅。」

四

我說，窮不在銅窮在工。
人說：「只要有銅便有工，溫溫飽飽富家翁。」
我說我們棉袄夾袴過得冬，
他們紅狐紫貂還要火鑪烘。
我們十里八里脚步輕且鬆，
他們一里半里也要汽車送。
絞腦無汁體無力——
何如一手鋤頭一手筆？
世界爲有了他們，
無冬無夏無休息。
——若使沒有了我們，
那裏去找文明的形跡？
有衣大家穿，
有飯公衆吃；

我們穿吃不白來，
　手兒腦兒自己享受自己的成績。
不要慌張不要忙，——
大家種花大家香；——
著個富翁做什麼？
冷風頭上哭天光。——

◉富翁哭　玄廬

工人樂——
富翁哭——
富翁——富翁——不要哭，——
　我喂猪羊吃你肉；你吃米飯我吃粥。
你作馬，我作牛；
·牛耕田，馬吃穀。
馬兒肥肥駕上車，
龍華路上看桃花。
春風三月桃花早，
　道旁小兒都說馬兒跑得好。
那裏知道馬兒要吃草。——

◉車毯（擬車夫語）　劉半農

天氣冷了，拚湊些錢，買了條毛絨毯子．
你看通在車上多漂亮，鮮紅的柳條花，映襯着墨青底子、
老爺們坐車，看這毯子好，亦許多花兩三銅子．
有時車兒拉罷，汗兒流，北風吹來，凍得要死．
自己想把毯子披一披，却恐怕身上衣服髒，保了身子，壞了毯子。

學徒苦　劉半農

學徒苦！學徒進店，為學行賈，主翁不授書

白話詩選卷二　寫實類

算，但說「孺各當習勤苦！」朝命掃地開門，暮命臥地守戶暇當執炊，兼鋤園圃！　主婦有兒曰——「孺子爲我抱撫」　呱呱兒啼主婦震怒拍案頓足，辱及學徒父母！

自晨至午，東買酒漿，西買菜豆腐，　一日三餐，學徒侍食進脯．　客來奉茶主翁倦；時命開烟鋪！又命門前應主顧，後門洗缶滌壺！奪走終日，不敢言苦！　足底鞋穿，夜深含淚自補！　主婦復惜油，火申申咒詛！

食則殘羹不飽；夏則無衣，冬衣敗絮！　臘月主人食糕，　學徒操持血杵！　學徒雖無過，「塌頭」一下如雨！　學徒病，叱曰「孺子敢貪惰作誑語？」　清清河流，鑑別髮縷、學徒淘米河邊，照見面色如土！　學徒自念——「生我者亦父母」！

六　（塌頭）屈食指以叩其腦也或作（栗子）

●賣蘿蔔人

劉半農

一個賣蘿蔔人，——狠窮苦的，——住在一座破廟裏，

一天，這破廟要標賣了，便來了個警察說——

「你快搬走！這地方可不是你久住的、」

「是是！」

他口中應着，心中却想——

「叫我搬到那裏去！」

明天警察又來催他動身．

他瞠着眼看，低着頭想，撤撤手，踏踏脚，却沒說——

「我不搬．」

• • • • •

警察忽然發威，將他攆出門外．
又把他的竈也搗了，一只砂鍋碎作八九片！
他的破席，破被，和蘿蔔担，都撒在路上。
幾個紅蘿蔔，滾在溝裏，變成了黑色！
路旁的孩子們，都停了遊戲奔來．
他們也瞠着眼，看，低着頭想，撒撒手，踏踏脚，却不做聲！

．　．　．　．　．

警察去了，一個七歲的孩子說，
「可怕………」
一個十歲的答道，
「我們要當心，別做賣蘿蔔的——」
七歲的孩子不懂；
他瞠着眼，低着頭想，却沒撒手，沒踏脚．

◉婦人

康白情

婦人，騎一匹黑驢兒．
男子拿一根柳條兒．
遠傍着一個破窰邊底路上走。
小麥都種完了．
驢兒也牽苦了．
大家往外婆家裏去玩玩罷。
驢兒在前．
男子在後。
驢背上還橫着些篾片兒；
篾片兒上又腰着些繩子。
他們倆底面上都皺着些笑紋。
春風吹了些密語到他們底口裏來．
前面一條小溪．

驢兒不得過去了。
他們都望着笑了一笑。
好驢子不騎了。
柳條兒不要了。
男子底鞋兒脫了。
婦人在男子底背上了。
驢兒在婦人底手裏了。
男子在前、
驢兒在後。

◉勞動歌　星期評論

（一）

你種田；
我織布；
他燒磚瓦蓋房子。

哼哼——呵呵——哼哼——呵呵——
作工八點鐘——休息八點鐘——教育八點鐘
大家要求生活纔勞動。

（二）

認識字、
好讀書；
工人不是本來粗。
讀書識字，識字讀書。
教育八點鐘——休息八點鐘——作工八點鐘
大大要求教育纔勞動。

（三）

槐樹綠；

石榴紅；
薄薄衣衫軟軟風。
　嘻嘻——哈哈——嘻嘻——哈哈——
休息八點鐘——教育八點鐘——作工八點鐘
——
大家要求休息纔勞動。

◉起勁　玄廬

（一）
『起勁起勁！
起勁做工。』
淚珠兒似的麥；
汗珠兒似的米；
高高興興的收了起來、
哭哭啼啼的還了出去。

『起勁復起勁——』
起勁養活幾個剝皮敲骨的富家翁。
（二）
『起勁起勁！
起勁做工。』
建築些高堂大廈；
染織些綢緞呢絨。
『起勁復起勁』！
起勁打扮些少爺奶奶、多多傳些文明種！
（三）
『起勁起勁！
起勁做工。』
哥哥會趕馬；
弟弟會拉車；

兩個肩窩承轎槓；
一條窮命拚風波。
『起勁復起勁』！
起勁把老爺太太們抬到了、工錢雖少罵聲多。

（四）

『起勁起勁！
起勁做工。』
粉筆和黑板、
從春天書到秋、秋天畫到冬。
「起勁復起勁」！
起勁製造些資本家的好僱傭。

（五）

「起勁！起勁起勁！
起勁做工。」
起早做到黑、
十四五點鐘！
『起勁復起勁』！
起勁做到「老」「死」「窮」。

（六）

『從此更起勁！
起勁做工。
切斷工人頸子上的鎖鍊、
打破資本家所建築的牢籠，
什麼是現實的文明？
把他來『粉碎虛空』。
沒有『富』、
那有『窮』。

沒有『私』、
那有『公』。
腕力十分雄、
心花十分紅！
『起勁復起勁』、
從來不做國家人種的糊塗夢。

◉開差

李陶

（一）

去年今日弄鋤頭、
今年今日駝砲走。
弄鋤頭、
得自由；
駝砲走、
趕東趕西不如狗——

（二）

家鄉遭兵燹、
老娘愛妻被冲散——
一村房屋都燒完。
留下了一個爛泥堆成的土地殿——

（三）

桑葉空長樹枝頭、
沒有女工採——
良用荒在東西鄉、
沒有農夫耕——
一村壯丁只剩三兩人——
城頭挂出招兵旗、
他也去當兵——
我也去當兵——

（四）

——張大隨營到四川、
　聽說不久便解散。
我們隊長很勇敢、
　佔了一城又一縣。
我也打過幾次大沖鋒、
搶着皮衣三五件。
　可惜當典都當完——

（五）

昨夜夢見我的愛妻、
　大聲呼救在山林裏
下衣撕破上衣單、
頭髮蓬蓬亂如鬼。
我那七十多歲的老娘呵——
被誰人挪在大樹上、
　一身的衣服都剝去——
我急忙奔上前、
忽然一陣喇叭聲、
　吹到我的耳朵裏。
原來是隊長要開差去——

李　陶

◉懶惰

『老爺呵——大人——
你可憐我這苦命人兒呵；
給我一個銅元、
　救我一天的狗命。——』
一面語；
一面跑。

磕了幾個頭、
　又爬了起來、
喘吁吁的叫、
急忙忙的奔。
要求老爺大人、
　發一個慈悲心。
『蠢才——
你爲何不作工？
不作工的人、
　應該沒有飯——
我有的是錢、
　我却不給你好吃懶做的窮光蛋！』
『老爺呵！
我不敢懶惰。
可憐我要作工呵！
又沒有人肯雇我！
一天磕了幾百個頭；
跪了幾千步路；
　叫了幾萬聲的老爺大人；
這樣的工誰願意做！』

◉農家　玄廬

『人多好做活、人少好吃食、』
　農家村裏口頭禪、市上居人不識得——
市上有句話、『人多好吃食；』
　人少食多吃不完、餿缸米飯進猪欄。
猪重百斤值十千、
　牽猪上市賣得錢。

農人爲何不自吃?
因爲完租捨不得。
租錢完了一身輕,
只剩犂頭鐵耙清清四堵壁!
一家老少騃騃立著坐著不作聲,雪上空留釘鞋迹!

◉阿們

李陶

(一)

牧師說:
『肉體的快樂、
不關人類的靈性、
只管作工;
只管忍耐;
困苦的艱難、
都是上帝的命令。
不該反抗、
只要服從;
待你臨終時、
自有天使來接引——
阿們!』

(二)

出了教堂門、
進到工場裏。
一天作了十二點鐘的工;
滴了十二點鐘的汗;
賺了兩角小洋、
買得兩升糙米。
這是上帝賜我的——

我應該感謝上帝——
『上帝呵！上帝！！
你這仁慈的恩、
我如何報答你——
只盼你允許我呵——
進天國去伺候你。
阿們！』

（三）

一月、兩月、三月；
一年、兩年、三年。
吃不飽；
睡不足。
手足成了風濕痲木；
肺管兒充滿了微生物；
從前那精壯肥滿的肌肉呵——
只剩下幾根瘦骨。
『上帝呵上帝！！
我那裏敢違反命令、
可憐我渾身是病——
阿們！』

（四）

一天不作工、
沒有了米；
兩天不作工、
沒有了衣。
那嚴厲的房東呵——
他還要硬趕我出們去。
這樣繁華的上海呵——

只見許多華麗莊嚴的教會堂、
　竟找不出一個破爛的棲流所——
『上帝呵！上帝！！
你快些兒來接引我呵——
　進天國去伺候你！
　阿們！』

◉錢　玄廬

（一）
從前用的有眼錢、
　錢眼中間世界小。
如今改用沒眼錢、
　一切世界都不見了。

（二）
『為何錢沒眼？』

『只怕人心被錢見。』
從前為錢欺了心，
　如今連錢都欺騙。

（三）
銀枷金鎖鍊、
　為的是體面。
從前『有眼沒有珠』
　如今有珠沒了眼。——原來眼是生在臉上
面——

（四）
人說：「賺錢用、」
　錢在一邊笑！
從來只見錢用人，
那見人把錢用掉。

(五)

一個錘兒一個鋤，
一動一作錢計數。
問他『所得的數給與誰？』
『給你兩手空空一事無！』

(六)

錘兒東東下！
鋤兒麥田翻過秧苗青！
只有錢兒一事不做等於零！

●夜游上海有所見

玄廬

(一)

一個胖子說：
『一日三出力，吃飯用大力，』
一個瘦子說：
『無錢買衣食困覺當將息。』

(二)

求布施！求布施！
飯館子前十字路。
汽車去馬車來來也無數去也無數。
「眼飽肚中饑，口饞心裏苦。」
祇見得吃醉的人，
靠著車窗狂吐。
唉！「燕窩魚翅。」

(三)

有討、；討有要、；要
三個銅元一頓飽。
冷尖尖的風，黑漆漆的廟，
背貼背兒當棉襖，

糊糊塗塗困一覺。
聽說近來搶劫多，
大概他們不會夢見過强盜。

（四）

忽被冷風吹醒了，
瑟瑟縮縮又困著了！
那一邊是誰家的小女兒，
「來噓」「來噓」沿街叫！

（五）

風颼颼叫聲漸漸低微微帶著抖！
一個老婆子站在馬路中間惡狠狠東邊張一張又低下頭歎了一口氣，再望西邊溜一溜。
夜夜亮的電光，如何還不把他們的心思照透！
此刻沒有什麼汽車馬車出風頭了！
只有紅廟角裏兩個叫化子呼呼依舊！

竹葉　譯　　田漢

竹葉和松枝，
　滿街吹得渉渉的響。
春日町的那頭，
　祇看見有些人來往。
從春日町往水道橋
　是一條冷淡的街道；
正在砲兵工場的左邊，
　行客和街燈一樣的少。
這時候有一輛拖貨物的空車，
　橫傍着一間關了門的矮屋，

階級邊躺着一個勞動家，
只欷欷歔歔的在那兒痛哭。
只有一盞昏暗的街燈，
照着他那凄涼的面目。
這時候人家都忙着過年，
誰還來照管他的死活！

電車空隆隆的來，
他又空隆隆的去。
砲兵工場的裏頭，
還劈利啪啦的打個不住！

●種田人　用滿江紅詞調　玄廬

（上）

朗朗青天、正好是插秧時節。
看一片平原碧綠、生機活潑。
不料狂風和苦雨、連宵連日無休歇。
把一春辛苦的工夫完全奪！

（下）

改種罷！種兒缺！
由他罷！餓來逼！
眼睜睜望著天兒著急。
不是天公能作祟、算來都爲人工缺。
望收成總要自家來、纔能得。

●新年詞

（一）

◎紅色的新年　星期評論

一九一九年末日的晚間、

有一位拿鎚兒的、一位拿鋤兒的、黑漆漆地
在一間破屋子裏頭談天

(二)

拿鎚兒的說:
『世間的表面、是誰造成的!
你瞧!世間人住的、著的、用的、
　那一件不是鎚兒下面的工程!』

(三)

拿鋤兒的說:
　『世間的生命、是誰養活的!
你瞧!世間人吃的、喝的、抽的、
　那一件不是鋤兒下面的結果!』

(四)

他們倆又一齊說:
　『唉!現在我們住的、著的、用的、吃的、喝的、抽的、
的、都沒好好兒的!
　我們那些鎚兒下面作的工程、鋤兒下面產的
結果、
　那兒去了!』

(五)

鼕!鼕!!鼕!!!
　遠遠的鼓聲動了!
一更二更好像在那兒說:
　工!農!!
　勞動!勞動!!
　不平!不平!!
　不公!不公!!
快三更啦!

他們想睡、也睡不成。

（六）

朦朦朧朧的張眼一瞧、

黑暗裏突然的透出一線兒紅。

這是什麼？

原來是北極下來的新潮、從近東卷到遠東。

那潮頭上擁著無數的鍾兒鍾兒、

直要鍾勻了鋤光了世間的不平不公！

驚破了他們倆的迷夢！

呀！映着初升的旭日光兒，一霎時徧地都紅！

（七）

喂！起來！起來！！

現在是什麼時代？

一九一九年末日二十四時完結了.

你瞧！這紅色的年兒新換世界新開！

●人力車夫

胡適

「車子！車子！」

車來如飛.

客看車夫忽然中心酸悲。

客問車夫，「你今年幾歲？拉車拉了多少時？」

車夫答客？「今年十六，拉過三年車了，你老別多疑。」

客告車夫，「你年紀太小，我不坐你車、我坐你車，我心慘悽，」

車夫告客，「我半日沒有生意，我又寒又飢。

你老的好心腸，飽不了我的餓肚皮。

我年紀小拉車，警察還不管，你老又是誰？」

客人點頭上車，「說拉到內務部西」！

白話詩選卷二　寫實類

●人力車夫

沈尹默

日光淡淡，白雲悠悠，風吹薄冰，河水不流。

出門去，僱人力車。街上行人，往來很多；車馬紛紛，不知忙些甚麽？

人力車上人，個個穿棉衣，個個袖手坐，還覺得風吹來，身子冷不過。

車夫單衣已破，他却汗珠兒顆顆往下墮。

●相隔一層紙

劉半農

（一）

屋子裏攏着爐火，
老爺分付開窗買水菓，
說『天氣不冷火太熱，
別叫他烤壞了我。』

（二）

屋子外躺着一個叫化子，
咬緊了牙齒，對着北風呼『要死！』
可憐屋外與屋裏，
相隔只有一層薄紙！

●雨

玄廬

（一）

許久不下雨，我們正遷居；忙裏凑着忙，好在住了雨。

（二）

一滴潤道路，一滴潤農圃；一滴車夫汗，一滴農夫汗。

（三）

車夫呀苦雨，農夫呀喜雨；只求化作汗，不可化作淚。

（四）

雨也下得好、雨也住得巧；忙裏湊着忙、發得要
公道。

◉薦頭店 有序

玄廬

我國沒有確定的「職業紹介所」！有、
就只是「薦頭店」一種。專薦婦女受雇
傭的。上海的慣例每薦一次、抽收傭值
十分之二。竟有「女子出租，兩塊錢一
日、賤賣不來」的廣告貼在晝錦里

（玄記）

（一）

有貌薦！貌有手薦！多謝薦頭、不販人口？

（二）

主人愛少年！主婦愛老年！多謝薦頭、隨口顛倒。

（三）

有兒不哺！去作傭婦！薦頭招價！奶娘難雇！乳期
終於誤！

（四）

童養媳婦、有姑無母。有了薦頭門、沒有還家路！
兩塊錢一日、出租！

◉雲鬟

同德醫學一卷一期

清曉整「雲環」、附曉整「雲環。」
日中猶未覺髻兒安。
小妹妹又拆開雙辮、
等我替他篦頭。
將黑壓壓一把青絲、正向風中吹散。
我頸兒僵、我兩臂酸。
我實不耐朝朝費力來戰這「雲鬟。」

白話詩選卷二　寫實類　　二四

那東家太太西家小姐、
梳頭有娘姨。剔篦有丫鬟。
過午夢回開倦眼。
起傍妝臺細細膩膩直忙到晚。
到晚來還掠絲鬢、還修寶髻還整花冠。
終年……只整了個「雲鬟」。

男兒們一樣長頭髮、
為什麼他們一齊剪短。
看他們終年的禿頭露頂何等蕭閒。
像我們日日的盤鬆掠鬢、
不必說頸兒僵臂兒酸。
就是每天的工夫也空糟蹋了一半。

我便要一剪刀剪斷這「雲鬟」。
那老太婆說「你要做姑子麼?這不成了個女不女男不男。」
阿哥更說道:女人家橫豎閒。
便化了一天半日臭工夫有甚相干?
你不見歐美文明女子、黃烘烘也有個「雲鬟」。
却是東家大少!西家小官!
雖然短髮一樣的生髮水、凡士林、香暴花、梳刷得光油油耀花人眼。
原來頭髮供人玩他方恨短一個「雲鬟」。
可知道髮長髮短一樣的不相干!

且整「雲鬟」且整「雲鬟」。

小妹妹！你來！你來！
我替你梳辮。做你的娘姨。
你替我剔篦。做我的丫鬟。
且整「雲鬟」且整「雲鬟」。

◉渡江

趙章強

（一）

橫渡長江，
江面來了一隻破船，
坐着的男女老幼五個人兒，
男的扳着雙槳，
女的拿了竹竿，
竹竿上却掛着一個布的袋兒，
小兒有啼的，笑的，老爺哪！老爺哪！喊着的，

（二）

橫渡長江
我們都趁着沒蓬蓋的渡船，
滿載了丘八老爺；
穿的有灰的，黃的，呢的，布的軍衣；
戴的有破的，舊的帽兒，形式各有不同，
菜色的臉兒，萎靡的精神，却都是一個樣兒，

（三）

橫渡長江，
江心泊了一隻軍艦，
旭日的旗幟觸接我的眼簾，
明、明、是、中、國、的、內、河，
却、爲、何、有、外、國、的、兵、船？
明、明、是、中、華、的、主、權，
却、爲、何、給、外、人、侵、佔？

我要問政府，政府不我答！
我要問國民，國民自相殺！
自家不爭氣，外人何足責！

◉敲冰

劉復

下八度的天氣，
結着七十里路的堅冰，
阻礙著我愉快的歸路。
水路不得通，
旱路也難走。
冰——
我眞是奈何你不得——
我眞是無可奈何！
無可奈何，
便無撐船的商量，
預備着氣力，
預備着木槌，
來把這堅冰打破！
冰！
難道我與你，
有什麼解不了的寃仇，
只是我要趕我的路，
也不得不打破了你，
待我打破了你，
便有我一條愉快的歸路。
撐船的說『可以！』
我們便提起精神，

合力去做——
是合着我們五個人的力，
三八一班的輪流着，
對着那堅苦的不易走的路上走！

有幾處的冰，
多謝先走的人，
早已代替我們打破；
只剩着浮在水面上的冰塊兒，
軋軋的在我們船底下剉過。
其餘的大部分，
便須讓我們做『先走的』：
我們打了十搥八搥，
只走上一尺八寸的路。

但是
打了十搥八搥，
終走上了一尺八寸的路！
我們何妨把我們痛苦的喘息聲，
歡歡喜喜的，
改唱我們的敲冰勝利歌。

敲冰！敲冰！
敲一尺，進一尺！
敲一程，進一程！
——懶惰者說：
『朋友，歇歇罷！
何苦來？』
請了。

你歇你的，
我們走我們的路！
怯弱者說：
『朋友，歇歇罷！
不要敲病了人，
刮破了船。』
多謝。
這是我們想到，却不願顧到的！
緩進者說：
『朋友，
一樣的走何不等一等？
明天就有太陽了。』
假使一世沒有太陽呢？
『那麼，傻孩子！
聽你們去罷！』
這就是感謝你。
敲冰！敲冰！
敲一尺進一尺！
敲一程，進一程！
這個兄弟倦了麼？——
便有那個休息着的兄弟來換他。
肚子餓了麼？——
有黃米飯，
有靑菜湯。
口渴了麼？——
冰底下有無量的淸水；
便是冰塊，

也可以烹作我們一好茶。
木搥的柄敲斷了麽？
那不打緊，
艙中拿出斧頭來，
岸上的樹枝多着，
敲冰！敲冰！
我們一切都完備
一切不恐慌，
感謝我們的恩人——自然界。

敲冰！敲冰！
敲一尺，進一尺！
敲一程，進一程！
從正午敲起，

直敲到漆黑的深夜。
漆黑的深夜，
還是點着燈籠敲冰。
刺刺的北風，
吹動兩岸的大樹，
化作一片怒濤似的聲響：
那便是威權麽？
手掌麻木了，
皮也剉破了；
臂中的筋肉，
伸縮漸漸不自由了；
脚也站得酸痛了；
頭上的汗，
涔涔的向冰冷的冰上滴，

背上的汗；
被冷風從袖管中鑽進去，
吹得快要結成冰冷的冰；
那便是痛苦麼？
天上的黑雲，
偶然有些破縫，
露出一顆兩顆的星，
閃閃縮縮，
像對着我們霎眼：
那便是希望麼？
犖犖不絕的木槌聲，
便是精神進行的鼓號麼？
豁刺豁刺的冰塊對船聲，
便是反抗者的衝鋒隊麼？

是失敗者最後的奮鬥麼？
曠野中的回聲，
便是響應麼？
這都無須管得：
而且正便是我們；
不許我們管得。
敲冰！敲冰！
敲一尺，進一尺！
敲一程，進一程！
犖犖的木槌，
在黑夜中不絕的敲着，
直敲到野犬的呼聲漸漸稀了；
直敲到樹中的貓頭鷹，

不唱他的死的輓曲了；
直敲到雄鷄醒了；
百鳥鳴了；
直敲到草原中，
已有牧羊兒歌聲！
直敲到屢經霜雪的枯草，
已能在嘻微的晨光中，
表暴他困苦的色！
好了！
黑暗已死，
光明復活了！
我們怎樣？
歇手罷？
哦！

前面還有二十五里路！
光明啊！
自然的光明，
普徧的光明啊！
我們應當感謝你，
照着我們清清楚楚的做。
但是，
我們還有我們的目的；
我們不應當見了你便住手。
應當借着你的力，
分外奮勉，
清清楚楚的做。
敲冰！敲冰！

敲一尺進一尺！
敲一程，進一程！
黑夜繼續着白晝，
黎明又繼續着黑夜，
又是白晝了，
正午了，
正午又過去了！
時間呵！
你是我們唯一的眞實的資產。
我們倚靠着你，
切切實實，
清清楚楚的做，
便不是你的戕賊者。
你把多少分量分給了我們，
你的消損率是怎樣，
我們以着寶貴你，
尊重你，
更不忍分出你的肢體的一部分來想他，
只是切切實實，
清清楚楚的做。
正午又過去了，
暮色又漸漸的來了，
然而是——
「好了！」
我們五個人，
一齊從胸臆中
迸裂出來一聲「好了！」
那凍雲中半隱半現的太陽，

已被西方的山頂
掩住了一半。
淡灰色的雲影，
淡赭色的殘陽，
混合起來，
恰恰是——
唉！
人都知道的——
是我們慈母的笑，
是它痛愛我們的苦笑！
它說：
「孩子！
你乏了！
可是你的目的已達了！
你且歇息歇息罷！」
於是我們舉起我們的痛手，
揮去額上最後的一把冷汗；
且不知不覺的，
各各從胸臆中，
迸裂出來一聲究竟的
(是痛苦換來的)
「好了！」
「好了！」
我和四個撐船的，
同在燈光微薄的一張小桌上，
喝一盃黃酒，
是盃帶著胡桃滋味的家鄉酒。

白話詩選卷二　寫實類

人呢？——倦了。
船呢？——傷了。
木排呢？斷了又修，修了又斷了。
但是七十里路的堅冰？
這且不說，
便是一盃帶着胡桃滋味的家鄉酒，
用沾着泥與汗與血的手，
擎到嘴邊去喝，
請問人間——
是否人人都有喝到的福？
然而曾有幾人喝到了？
「好了！」
無數的後來者，

三四

你聽見我們這樣的呼喚麼？
你若也走這一條路，
你若也走七十一里，
那一里的工作，
便是你們的。
你若說：
「等等罷！
亦許也有人來替我們敲。」
或說：
『等等罷！
太陽的光力，
即刻就强了。』
那麼，
你眞是糊塗孩子！

你竟忘記了你！
你心中感謝我們那七十里麼？
這却不必，
因爲這是我們的事。
但是那一里，
却是你們的事。
你應當奉你的木搥爲十字架，
你應當在你的血汗中受洗禮，

你應當喝一盃胡桃滋味的家鄉酒；
你應從你胸臆中，
迸裂出來一聲究竟的「好了！」

◉快起來！

險綿

『鷄叫了！
天亮了！
快起來！』
一個半老的農夫叫着他的兒子說：
『快到田裏去勤苦纔有飯吃，懶惰怎樣的還債？』
『鷄叫了！
天亮了！
快起來！』
一個儉朴的婦人對着他的丈夫說：
『早飯已經熟了，吃過你還要到街上去做買賣！』
『鷄叫了！

天亮了!
快起來!』
一個人力車夫立在坑上對他夥伴說:
『偺們該拉出去了!但願今天運氣好,莫像昨天那樣壞!』
『雞叫了!
天亮了!
快起來!』
一個青年的學生用清脆的聲音叫醒他的兄弟說:
『趕快上學去!不要誤了!你我要知道光陰過去不再來!』
『雞叫了!
天亮了!
快起來!』
一個灰白臉兒的富官僚同着幾家姨太太打牌,
厲聲喊着一個爬在椅背上睡覺的可憐女孩:
『死東西!曹太太段太太要走啦!快去叫車夫預備!』
他們臨別時,同說『今晚來』
官僚向着自己的姨太太說:
『寶貝!偺們也該睡了!嗐!我最愛你這種將睡未睡的嬌態!』

◉三絃　沈尹默

中午時候,火一樣的太陽,沒法去遮闌,讓他直晒着長街上，靜悄悄少人行路，祇有悠悠風來吹動路旁楊柳．

誰家破大門裏，半院子綠茸茸的細草，都浮着閃閃的金光，旁邊有一段低低土牆，擋住了個彈三絃的人，却不能隔斷那三絃鼓盪的聲浪，

門外坐着一個穿破衣裳的老年人，雙手抱着頭，他不聲不響．

◉山中雜詩　沈兼士

西風大作，溫度斗降，橋邊散步，寫所見。

五更山雨振林木，晨起涼意先上足．
野貓親人去又來，殘蟬咽風斷難續．
赤膊小孩抱果筐，晌午橋頭行彳亍．
爲言「今日天氣涼，滿筐果子賣不出．
賣不出、不打緊、肚裏挨餓可難忍！」

◉威權　胡適

威權坐在山頂上，
指揮一班鐵索鎖着的奴隸替他開礦、
他說「你們誰敢倔强？
『我要把你們怎麼樣就怎麼樣！』

奴隸們做了一萬年的工，
頭頸上的鐵索漸漸的磨斷了。
他們說「等到鐵索斷時，我們要造反了！」

奴隸們同心合力，
一鋤一鋤的握到山脚底。
山脚底挖空了，

威權倒撞下來，活活的跌死！

◉週歲—祝晨報一年紀念

胡適

唱大鼓的唱大鼓，
變戲法的變戲法。
彩棚底下許多男女賓，
擠來擠去熱鬧煞！

主人抱出小孩子——
這是他的週歲；
我們大家團攏來，
給他開慶祝會。

有的祝他多福，
有的祝他多壽。
我也擠上前來，
鄭重祝他奮鬥。

『我賀他這一杯酒，
恭喜你奮鬥了一年；
恭喜你戰勝了病鬼，
恭喜你平安健全。』

我再賀你一杯酒，
祝你『奮鬥到底：
你要不能戰勝病魔；
病魔戰勝了你！』

◉願意

左學訓

莫愁湖邊，
華嚴菴的門前，
一輪破爛的馬車在那兒等候。
馬是那般消瘦，
腹部兩旁撐起無數的骨頭，兩個眼珠也瞎
得幾乎沒有。
一會兒他的主人往車上一走！
那趕車的人便拿起鞭兒向他身上狠狠的抽！
走！走！
可憐的馬！你本該走！

◉耕牛

沈尹默

好田多多，黏土只是無耕牛的苦．
難道這地方的人窮、連耕牛都買不起？
聽說來了許多人，都帶着長刀子．把這個地方
的耕牛，個個都嚇死。
嚇死幾個畜生，算得甚麼事？
不過少種幾畝地，少出幾粒米．
好在少米的地方也少人，那裏還愁有人會餓
死？

◉湖南小兒的話

李劍農

（來函代序）吾兄那首「你莫忘記」的詩實在狠好，因爲你那首，我也試作了一首，題曰「湖南小兒的話」是套襲你那一首的架子，並意思，略參些湖南話，寫在後面；請你指敎指敎中國詩我向來不能作，外國詩而從沒有讀過一首。這首詩是我第一回開荒土的物產物。你若肯切實指敎或者我將來也

白話詩選卷二　寫實類

隨諸位詩翁時常胡謅幾句

你看這個小牙俐，(即小孩子)眞有些憨氣！
我說，我們總要愛國，他就問我愛國作麽哩？
他說那穿黃衣的國軍拷壞了他的爹爹；(讀如的的)
他說那穿黃衣的國軍，嚇死了他的挨姐，(挨音哀湖南人呼祖母爲挨姐)
他說那穿黃衣的國軍，殺了他的哥哥，又逼死了他的姐姐。
我呵他道：
『你不要糊說。
這個你那裏怪得——我們的國？……』
他又搶說：
他單剩了一個嫂子，又被那穿黃衣的搶着跑了；

他們的院子，都被穿黃衣的燒了；
他的一條命，都是外國人救出來的；
他如今還住在外國人的家裏。
我正要把話去駁他，
忽聽他哇的一聲『呵呀！』
『先生我們趕……趕……趕快躲！』
那對面街上又發……發……發了火！

●幸福的福音

一首新歌，一首甜歌，
朋友們！讓我唱把你聽：
我們要在地球這塊兒建立了
我們希望的天堂。
我們要在地球這塊兒快樂，

不再忍飢受餓；
忙手所造的，
懶人不得靠着過活。
在地球這塊兒有許多麪包，
爲着人類個個生靈，
也有許多香花與甜果，
還有許多美情與樂趣。

●漂泊的舞蹈家

田漢

前羅馬洛夫王家所屬音樂家斯鐵巴麗亞夫人(三四)與呂拿小姐(十三)兩母女，當革命以前。以 Pianist 與 Dancer 的資格深得俄皇室寵愛。革命後飄泊於西伯利亞廣漠之野，旅貧且不繼，追思昔日聖彼得堡的生活，

恍如春夢昨始於敦賀上陸(到日本)將尋與彼等同事羅馬洛夫皇室的同僚者，兩三日前經下關向長崎所欲託之同僚渺不可見，乃擬向東京，二十六朝到下關，午前九時半東上云，

(一)

！
飄泊是詩人的生活，是琴師的生活，
是歌女的生活，是舞蹈家的生活，
是一切藝術家生活！
你們是藝術家；
你們營了這種生活——
這種飄泊的生活！

(二)

你們經過了西伯利亞？

白話詩選卷二　寫實類

經過了那個廣漠之野？
你們是不是母女相扶迎着那發發的北風？
踏着那漫漫的積雪？
你們穿的衣多不多？
穿的靴熱不熱？
我呀，你們提取都是苦的記憶，
我這話不該向你們說。

（三）

你們從彼德格勒來的？
甚麼時候動身的？
你們動身的時候，
俄國皇室怎樣的？
民衆運動怎樣的？
想那時倉皇兵火之間，

你們嚇昏了……也記不起？

（四）

想那時候民衆要求的是麵包石炭，
皇室要求的是舞蹈音樂。
這個兩種要求一生衝突，
想起你們兩個這般淪落！
昨日冬宮的恩寵，
却增了今日難過。

（五）

可是，夫人！藝術家的夫人！
藝術的神聖，
是不是在美化（Beautity）人類的心情？
與其以藝術奉事貴族，
何如以藝術救濟平民？

民衆雖呼：『把麪包把我們！
　單止有麪包也不能生存！！』

◉罪惡

田漢

永安公司的樓頭，
吳楚東南的一角——
前不見古人，
後不見來者。
這般遼闊？
蟲聲鳥聲人聲，電車聲，汽筒聲，萬聲合奏，
成一種宇宙的音樂。
塔影，樹影，屋影，江影，島影，烟筒影，
蟲影，鷄影，禽影，獸影，人影，非人影，
萬影憧憧，
都被那暗沉沉的烟霧裹着。

噫！你這沉沉的烟霧裏，
埋藏着許多罪惡！！
東方已張了黑幕，
西方是夕陽如火，
恐怕夕陽菩薩，
也分不出此間誰是罪惡，誰是自我！
待投將烟霧裏去！
看還是罪惡戰勝我？
我戰勝罪惡？

◉人力車夫

沈尹默

日光淡淡，白雲悠悠，
風吹薄冰，河水不流。
出門去，雇人力車。街上行人，往來很多；
車馬紛紛，不知幹些甚麼。

人力車上人，個個穿棉衣，個個袖手坐，還覺風吹來，身上冷不過。
車夫單衣已破，他却汗珠兒顆顆往下墮。

◉畫家　新青年　周作人

可惜我並非畫家，
不能將一枝毛筆，
寫出許多情景。——

兩個赤脚的小兒，
立在溪邊灘上，
打架完了，
還同築爛泥的小堰，

窗外整天的秋雨，

靠窗望見許多圓笠，——
男的女的都在水田裏，
趕忙著分種碧綠的稻秧。

小胡同口，
放着一副菜擔，——
滿擔是青的紅的蘿蔔，
白的菜，紫的茄子；
賣菜的人立着慢慢的叫賣。

初寒的早晨，
馬路旁邊靠著溝口，
一個黃衣服蓬頭的人，
坐着睡覺，——

屈了身子，幾乎疊作兩折。
看他背後的曲線，
歷歷的顯出生活的困倦。

這種種平凡的眞實的印像，
永久鮮明的留在心上；
可惜我並非畫家，
不能用這枝毛筆，
將他明白寫出。

◉窮人的怨恨 平民道報 孫祖宏

（一）

窮人爲什麼要怨恨呢？
　這個富人問我——
我講道：『你來，我們出去同行，

我將要答你的問。』

（二）

現在是晚上，冰凍着街道，
　看看是很淒涼——
我們衣服穿得是很完全的了，
　但是我們還覺得冷。

（三）

我們遇到了一個老而禿頭的人；
　他的頭髮是很少并且是很白；
我問他你爲什麼要站外面？
　在這種冬天的寒夜。

（四）

他講道：『天氣是很利害的了——
但是在家裏又沒有火又沒有食；

所以要跑出來，
　討一點東西吃吃。

（五）
我們遇着了一個赤足的女孩子，
　伊求乞的聲音高而壯；
我問伊你爲什麽站在外面，
　在這種大冷風的天？

（六）
伊講伊的父親在家裏，
　生病睡在床上；
所以要跑出來
　討一點麪包回家。

（七）
我們遇到了一個婦人，
　坐在一塊石上休息；
一個嬰兒爬在伊的背上，
　還有一個靠在伊的胸前。

（八）
我問伊你爲什麽要在這裏，
　當這種冷的天氣？
伊回轉頭來叫那個孩子，
　靜着不要躁！

（九）
後來伊講伊丈夫的職務，
　在遠處當一個兵。
現在伊要到那塊地方去，
　所以沿路的求乞。

（十）

然後我囘頭對着富人看，
　他站着了不說話——
你問我窮人爲什麽怨恨，
　這許多人已經答覆了你的問！

糊塗帳　新生活一・　辛白

七月一日忽然地五色旗收藏，龍旂飄蕩。
十二天中所聞所見的，無非是甚麽老臣微臣，
甚麽天恩聖上，
那滑稽的鎗炮，雖然是響了幾點鐘，這四百萬
的年金，却依然無恙，
我聽說俄國的鎗斃，——德國的逃亡，——與國的流放。
同是一樣的東西，爲什麽這個這樣，那個那樣？
我眞算不淸這一本二十世紀皇帝問題的糊
塗帳。

路上所見　新青年六・三・　周作人

北長街的馬路邊，
歇着一副賣豆汁的擔；
挑擔的老人坐在中間，
拏着小刀慢慢的切蘿蔔片。
一個大眼睛，紅面頰，爲雙了髻的，
四五歲的女兒望在他側面；
面前放着半盌豆汁，
小手裏揑了一雙竹筷，
張眼看着老人的臉，
向他問些甚麽話。
可惜我的車子過得快，
聽不到他們的話。
但這景象常在我眼前，

宛然一幅 Raphael 畫的天使與聖徒的古畫。

◉先生和聽差　新潮一・三・　康白情

聽差的手和脚，是先生們的手和脚；
先生們的事，就是聽差的事。
東屋子的先生叫加煤；
西屋子的先生叫淘米；
南屋子的先生叫送信到郵政局；
北屋子的先生又叫掃地。
聽差忙亂了一會兒。
西屋子的先生可不樂意了，——
　『聽差！淘米呢？
　鬧的幹麽去了！』
聽差囘說：
　『加着煤呢！
一會兒就去。』
『加煤是事，淘米不是事？
眞不是東西！
幹不了就去罷！』
有軟軟的聲兒說，
　『兩隻脚！……兩隻手！……
不要也只索去！』
　『去麽？——你去！
我有錢買得了鬼挑擔！
你去！你去！……』
停了一會兒只聽見廚裏浙呀浙的米響，——
再沒聽見一些兒人的聲氣。

◉兩個掃雪的人　新青年六・三・

周作人

陰沈沈的天氣，
香粉一般白雪，下的漫天遍地。
天安門外白茫茫的馬路上全沒有車馬蹤跡，
只有兩個人在那里掃雪。

一面儘掃，一面儘下：
掃淨了東邊，又下滿了西邊，
掃開了高地，又填平了窪地。
粗麻布的外套上已結積了一層雪，
他們兩人還只是掃個不歇。

雪愈下愈大了；
上下左右都是滾滾的香粉一般白雪。
在這中間彷彿白浪中浮著兩個螞蟻，
他們兩人還只是掃個不歇。
祝福你掃雪的人！
我從清早起在雪地裏行走，不得不謝謝你。

◉鐵匠（新生活三）

寒星

（一）

叮噹！叮噹！
清脆的打鐵聲，
激動夜間沈默的空氣。
小門裏時時閃出紅光，
愈顯得外間黑漆漆地。

（二）

我從門前經過，
看見門裏的鐵匠。
叮噹！叮噹！

砧上的鐵，
閃作血也似的光，
照見他額上淋淋的汗，
和他寬闊的（是裸着的）胸膛。

（三）

我走遠了；
還隱隱的聽見，
叮噹！叮噹！叮噹！
朋友！
你該留心聽着這聲音，
他永遠在沈沈的自然界中激盪！
你若回頭過去，
還可以看見幾點火花，
飛射在漆黑的地上！

◉雪　新潮一・二・　羅家倫

往日獨登樓，
但見慘淡寒煙，滿城昏黑。
如何隔夜推窗，
變得這般清白！
難道是『大老』變銀子的精誠，
感動『老天』把世界變成這樣顏色。
還是『老天』不忍地獄沉沉，
也教他有片時的改革。
遙想暢觀樓中，陶然亭下，
有人帶酒披裘稱心賞雪；
那知道地安門前，皇城根底，
還有人穿着單衣，按着肚皮震着牙齒，斷斷續續的叫：

◉女丐 每週評論三十・ 辛白

一個三十來歲的婦人，跟着我的車子跑，
口中喊道：「老爺！給我一個大！可憐！可憐！」
他一手拿著一枝香烟，一手伸着要錢，
兩腿跑個不歇，跑幾步叫一聲老爺，吸一口烟。

◉兩種聲音 新生活十一・ 子壯

我住在隆福寺街上，天天聽見兩種聲音。
街前是殺猪，街後是什麼兵營。
天明了，兩種聲音起來了：
一種哀鳴的聲音，裏頭不知道天天要送掉多少性命！
那種瀏亮的號聲，我更是怕聽！
因爲這幾年來的荒亂，都是這種嗚都都的號聲造成！
唉！何日何時，這兩種聲音纔能漸漸的減。

◉鄉下人 民國日報 沈玄廬

秋風起，娘兒要添衣，哥兒肚裏飢。
忍饑挑了一擔菜，
黑早挑向街頭賣。
賣菜本來不犯罪，
那裏知道要完稅？
收稅作何用？
罰則翻比菜價貴。
巡丁虎，司事牛，賣菜鄉人是隻狗，那裏用得你開口，不如撇却擔兒走！
未到十步便回首。
頻頻回頭看脚步漸漸慢！
脚步雖慢不敢停；只想强盗發善心，

哥兒眞是鄉下人。

◉昨日今日　新生活四・　辛白

（一）

景山之東，御河之北。
我昨日晌午，經過此地，所見的，
糞車，汽車，疲驢，瘦馬，
粉面小脚的婦人，剃頂長辮的男子，
井邊飲水的車夫，道旁磕頭的乞丐，
掛嚇人刀的警察，背殺人槍的軍人，
又烈日燒膚，狂塵打面。

（二）

景山之東，御河之北。
我今日清晨經過此地，所見的，
輕雲，微霧，殘月，疎星，

景山上，翠柏，蒼松，雜花，豐草，御河裏，蓮葉，
蓮花，菱，芡，蘋，藻。
幾個離巢小鳥在空際飛鳴，
我一個面寂的閑人，在樹陰緩步。清香撲鼻，
涼風吹衣。

（三）

景山之東，御河之北，有昨日晌午？有今日清晨？
我願我此生此後若干年，年年若干日，日若
干時，時時處處，都是今日清晨，不再有昨日晌
午。

◉輟了課的第一點鐘裏　時事新報　沫若

（一）

『先生輟課了！』

我的靈魂拍着手兒叫道:好!好!
我赤足光頭，
　忙向那自然的懷中跑。………

(二)

我跑到松林裏來散步，
頭上沐着朝陽，
脚下濯着清露!
冷暖溫涼，
　一樣是自然生趣!

(三)

我走上了後門去路。
我們兒……!呀你才緊緊鎖着。
咳!我們人類爲甚麽要自作囚徒?
啊!那門外的海光遠遠的在那向我招呼!

(四)

我要想翻出牆去;
我監禁久了的良心，
　他才有些怕懼。
一對雪白的海鷗正在海上飛舞。
啊!你們眞是自由!
咳!我才是個死囚!

(五)

我踏隻脚在門上，
我正要翻出牆。
『先生?你別忙!』
背後的人聲
　叫得我面兒發燒，心發慌。

(六)

白話詩選卷二　寫實類

一個掃除的工人
　挑擔灰塵在肩上。
他慢慢的開了後門，
　笑嘻嘻的把我解放……

（七）

我在這海岸上跑去跑來，
我真快暢。
工人！我的恩人！
我感謝你得深深。
同那海心一樣！

◉牛　新潮一・四・　康白情

草兒在前，
鞭兒在後，
那喘吁吁的耕牛，

五四

正擔着犂鳶，
眡着白眼，
帶水拖泥，
在那裏『一東二冬』的走。
『呼！——呼！……』
『牛吔，你不要歎氣。
快犂快犂，
我把草兒給你。』
『呼！——呼！……』
『牛吔，快犂快犂。
你還要歎氣，
我把鞭兒抽你。』
牛呵！——
人呵！

草兒在前，
鞭兒在後。

◉羅威爾 Lowell 的詩　時事新報

吳統續

（一）

有錢人的兒子承受了大廈高樓金銀和土地，
他也承繼了柔軟白白的手，
和怕寒在弱的身體，
他也弱不勝衣：
我想一想，
這樣的遺產誰也會不想要的。

（二）

有錢人的兒子承受了憂慮；
銀行會破產，工場會燒燬，
一朝微風吹起，會社股份歸了泡影裏；
他的柔軟白白的手不能營生計。

（三）

貧窮人的兒子承繼什麽哩？
强的筋肉强的心。
鞏固的氣概，同鞏固的身體！
兩手的力盡他的本分，
做他有用的勞動和工藝：
我想一想，
這樣的遺產誰也會想要的。

◉湖南的路上　平民教育

俍工

（一）

路邊的房子，
燒的燒，倒了的倒了；
房子裏頭的人，不知道那裏去了；

有許多的田沒有耕，有許多的園沒有種；
唉，可惜荒廢了。

（二）

『嘐喲！……老總，你老人家不要動手，憑你要
挑到那裏？我總依從你。』
一挑很重的擔子，放在大路邊；
兩個穿灰衣的，扭住一個小百姓在那裏打。

◉雜詩兩首　新朝一·四·　顧誠吾

（一）

我到鄉下去看我家的壙；
覺得山色湖光，在在可愛。
到了墳丁家，他主人卻不在；
祇見一個孩子，約十二歲的左右。
我同他談話：『你到過城裏麼？』

他說：『我到過已有三次了。』
『好玩麼？』
『真好玩！來來往往的人，連連絡絡的不斷。
』
『我做了城裏人，到羨慕你鄉下的景緻；想
來住下。』
他說：『噫·鄉下人要耕田，要背柴；你會做
麼？』
『你怎見得我不會？』
他笑着說：道『你們城裏人，只會吃吃白相
相。』

（二）

我到杭州去，恰坐了省長回衙門的一次車；
沿路站了許多的兵警，舉着鎗，吹着喇叭；

小站小接，大站大接，車行遠了，還聽見嗚嗚的餘音。
許多同車的體面人，聚作一團，互相談論！
甲說：『我們今天眞是附驥尾！
乙說：『我們今天可謂自備資斧接省長！』
丙說：『我們怎能夠有這樣的一日榮！』
丁說：『我也看見舉鎗也聽見喇叭，便算他們迎接的只是我。』
對面有一個婦人，拿抱在臂上的小孩，聳了兩聳說：『好看呀！』
遠遠的一個座上，也有個婦人說：『那些吹喇叭的，眞像個癡子。』

◉鷄鳴　新朝一・五・

康白情

『哥哥呵！……哥哥呵！……』
幾句鷄聲，幾家從夢中催起。
嫂嫂起來煮飯，
婆婆起來打米。
哥哥起來上坡。(一)
妹妹起來梳洗；
他却老望着那鏡內要明不白的影兒，
——懶懶地。
又聽一聲道『哥哥呵，哥哥呵，』
他說：『天下也有叫不醒的哥哥——
那裏都像我們一家子！』

(一)四川方言出門農作，統叫做上坡。

分類白話詩選卷三

寫情類

◉新婚雜詩

胡適

（一）

十三年沒見面的相思，於今完結。
把一樁樁傷心舊事，從頭細說。
你莫說你對不住我，
我也不說我對不住你，
且牢牢記取這十二月三十夜的中天明月！

（二）

回首十四年前，
初春冷雨，
中郵簫鼓，
有個人來看女壻：
匆匆別後，便輕將愛女相許。
只恨我十年作客，歸來遲暮，
到如今，待雙雙登堂拜母，
只剩得荒草新坟，斜陽淒楚！
最傷心不堪重聽，燈前人訴，阿母臨終語！

（三）

與新婦自江村回，至楊桃嶺上望江村，廟首諸村及其北諸山。

重山疊嶂，
都似一重重奔濤東向！
山腳下幾個村鄉，
百年來多少興亡，

不堪回想！
更不須回想！
想十萬萬年前，這多少山。這都不過是大海裏
一些兒微波暗浪！

（四）

記得那年，
你家辦了嫁妝，
我家備了新房，
只不曾捉到我這個新郎！
這十年來，
換了幾朝帝王，
看了多少世態炎涼！
鏽了你嫁奩中的刀剪，
改了你多少嫁衣新樣；

更老了你和我人兒一雙！
只有那十年陳的爆竹，越陳偏越響！
（吾自定婚儀本不用爆竹。以其爲十年前
所辦，故不忍棄。）

（五）

十幾年前的相思，剛才完結，
沒滿月的夫妻，又忽忽分別。
昨夜燈前絮語，全不管天上月圓月缺。
今宵別後，便覺得這窗前明月，格外清圓，格外
親切。
你該笑我，飽嘗了作客情懷，別離滋味，還逃不
了這個時節！

◉老洛伯　譯　胡適

（一）

羊兒在欄，牛兒在家，
靜悄悄地黑夜，
我的好人兒早在我身邊睡了，
我的心頭冤苦，都迸作淚如雨下。

（二）

我的吉梅他愛我，要我嫁他。
他那時只有一塊銀元別無什麼；
他爲了我渡海去做活，
要把銀子變成金，好回來娶我。

（三）

他去了沒半月、便跌壞了我的爹爹，病倒了我的媽媽；
剩了一頭牛，又被人偷去了。
我的吉梅他只是不回家！

那時老洛伯便來巴結我，要我嫁他。

（四）

我爹爹不能做活，我媽媽他又不能紡紗，
我日夜裏忙着，如何養得活這一家？
多虧得老洛伯時常救襯我爹媽，
他說『錦妮，你看他兩口兒分上，嫁了我罷。』

（五）

我那時回絕了他，我只望吉梅來討我。
又誰知海裏起了大風波，——
人都說我的吉梅他翻船死了！
只拋下我這苦命的人兒一個！

（六）

我爹爹再三勸我再嫁；
我媽不說話，他只眼睜睜地望着我，

望得我心裏好不難過！
我的心兒早已在那大海裏，
我只得由他們嫁了我的身子！

（七）

我嫁了還沒多少日子，
那天正孤孤悽悽地坐在大門裏，
抬頭忽看見吉梅的鬼！——
卻原來眞是他，他說「錦妮，——我如今回來討你」。

（八）

我兩人哭着說了許多言語，
我讓他親了一個嘴便打發他走路。
我恨不得立刻就死了，——只是如何死得下去！
天啊！我如何這般命苦！

（九）

我如今坐也坐不下，那有心腸紡紗。
我又不敢想着他：
想着他可是一樁罪過。
我只得努力做一個好家婆。
我家老洛伯他並不曾待差了我。

●春水　俞平伯

（一）

五九與六九，抬頭見楊柳，
風吹冰消散，河水綠如酒。
雙鵝拍拍水中遊；衆人緩緩橋上走，
都說「春來了，眞是好氣候。」

（二）

過橋聽兒啼，牙牙復牙牙。

婦坐橋邊兒在抱，向人討錢叫「阿爺」！

（三）

說道「住京西，家中有田地。」

去年決了滹沱口，丈夫兩兒相繼死；

弄得家破人又離，剩下半歲小孩兒。」

（四）

催軍快些走，不聽再多聽。

日光照河水，清且明！

●聽雨　劉半農

我來北地將一年，今日初聽一宵雨。

若移此雨在江南，故園新筍添幾許？

●苦—樂—美—醜　林損

樂他們不過，同他們比苦！

美他們不過，同他們比醜！

「窮愁之言易爲工，」畢究苦者還不苦！

「糟糠之妻不下堂，」畢竟美者不如醜！

●新月與晴海

（一）

兒見新月，

遙指天空。

知我兒魂已飛去，

遊戲廣寒宮。

（二）

兒見晴海，

兒就學號。

知我兒心正飄盪，

血隨海浪潮。

●「不加了……」　康白情

淚呀，血呀，
就是這愛底水。
醉人在愛底河上，
用瓢加水，眼巴巴的望着，
「給我一個波喲！」
但加一瓢，
又加一瓢，
加了無量數瓢，全不見半點兒波起。
水太薄麽？
河太廣麽？
醉人底不才麽？
但淚也要乾了；
血也要盡了；
醉人髣髴也醒了。

「唉！不加了！」

◉南京

左舜生

（一）

南京
我要和你小別了！
我和你兩年的戀愛，
多謝你送給我許多自然的美：
莫愁湖邊的柳，
復城橋上的月，
古道的台城
暮色的鍾山，
柳啊，
月阿，
我願你永永戀着你的湖，

照着你的橋，
我要和你小別了。

（二）
南京
我要和你小別了！
我和你兩年的戀愛，
多謝你送給我許多親愛的朋友：
有的似雨花台畔的石，
有的似揚子江上的水，
有的叫我不能忘記，
有的拖住我的脚了。
讓你系着，
讓你拖住，
我要和你小別了。

（三）
南京
我要和你小別了！
我和你兩年的戀愛，
多謝你送給我許多親愛的煩惱；
你把煩惱完全交付給我了，
我要和你小別了。

●別後　鄭伯奇

天已大明了，
客已去了，
別後的心情，
何等寂寥！

那繁華熱鬧的七條五條

白話詩選卷三　寫情類　八

靜沈沈的好像死去了；
要沒有那三兩個少女，
冷清清的在門前打掃．

上八扳，登圖山，
早來到噴水池前；
遠遠的山顛，樹顛，
射著初日的光線。

林間的樹；
帶著葉上的朝露，
面着太陽，
微笑，吐他的珠玉。

太陽也笑了，
亂吐出清輝的光線，
一半燃着我的心絃，
一半跑上地面。

地面的芳草，
竟像是狂了，
橫波，媚着太陽，
含笑惹人清想。

心花開了！
靈魂笑了！
舉頭望着太陽；
低頭理着雜想。

我說：太陽，
『生命的父親！
沒你的光，』
『誰還能生存？』
「太陽的光喲！
太陽的熱喲！
太陽的 Energie 喲！」
「重把世界改造喲！」
我的默禱還沒有完，
太陽已飄然出林端，
一陣陣的晨風，
吹去斷雲片片。

那不是岡崎園的廣場？
那不是一羣青年？
驚破「平安」的長眠；
生命的彈在那裏飛揚？
風兒吹着，
樹梢兒擺着；
一陣聲響了；
彈兒飛了。
飛了，飛上半天空，
好像與太陽競爭，
譁然喊的人聲！

迸然墜的球影！
球兒喲！力喲！
生的表現喲！
飛入懷中來喲！
與我接吻來喲！

打破幻想的
鐘聲遠遠吹來了。
驚飛詩趣的
現實漸漸展開了。

◉送會友魏時珍王若愚陳劍修許楚僧赴歐留學

黃仲蘇

宇宙不是生命的海麼？

我們都是他的驕子，——
同在那洶湧澎湃的海裏馳騁。
這一堆一堆怒濺的浪花中，
恐怕有你，有她，或他，也許有我。
我信，並敢說你們都相信：
友誼的愛力是萬能的，
精神是不滅的，
地球的面積也祇有這般大，
任憑你們或我走徧天涯那裏還有什麼「離別？」
世界何嘗破曉！
新月已沒了，星日也全落了。

她滾起山似的滔天白浪在深厚的里暗裏狂
嘯.
喂!怎樣才打得破這沈悶的寂寞?
人類污辱的罪惡又如何方能洗滌?

唉!這是什麼微光?
原來是她手裏擎着真之燈光在空中搖曳.
聽,他嗚咽的泣聲;看,她羞愧的面容.
這是美的靈魂在那兒顫慄罷!
唉!你們怎樣去安慰她的憂憤?
走,啊,朋友!…………

少年中國一卷九期

●感情之萬能

你若於此感情之中全然覺着榮幸,
你可任意地命他一個名,

名他是幸福!名他是心!名他是愛?名他是神!
我看他是名不可名!
感情便是一切;
名號只是虛聲,
只是迷繞着天光的一抹烟雲.

●太戈爾　譯　黃仲蘇

(一)

當她快步走過我面前的時候,她的裙邊碰着
我.
從那顆心的無名海島裏來了一陣春之煖氣.
輕忽的接觸拂過我,一會兒便消滅了,好像一
片謝了的花瓣在和風裏飄盪.
他落在我的心上,如同是她身之嘆息和心之
低滅吟一樣.

白話詩選卷三　寫情類

（二）

我跑着好像一隻瘋了的麝，帶着他的香，在樹蔭裏跑

夜是五月中旬的夜風是輕和的南風，

我迷了我的路，我徬徨，我尋我所不能得的，我得着我所不尋的，

我的希望之影像，從我心裏出來，跳舞，

閃耀的幻景流蕩不定。

我想牢牢的捉着他，他逃避我，使我迷了路。

我尋我所不能得的，我得着我所不尋的。

（三）

你是薄暮的雲，在我夢的天裏飄動。

我常用我愛的熱誠將你描畫，圖形。

一二、

你祇是我的，我獨有的，在我無止的夢裏寄居人！

你那雙足是用我心裏希望的霞光染成的玫瑰紅色，我斜陽歌的拾穀人！

你苦而且甜的唇是帶着我痛苦之酒味。

你祇是我的，我獨有的，我寂寥的夢裏居人。

我用我情慾的陰影黑了你的眼睛。

我愛，我已將你擒著，藏在我音樂的網裏。

你祇是我的，我獨有的在我不死夢裏的寄居人。

（四）

我不需索什麼，祇站在那林邊的樹後面。

沈悶還是在晨光的眼上，空中的露裏。

濕草的懶臭浮在地上的薄霧裏.
至在榕樹底下用你的手搆着牛乳,溫柔新鮮
和牛油一樣.
至於我祇是靜靜的站着.
我未曾說一句話,這是看不見的鳥在那深林
裏歌唱,
檬果的花兒落在村間的路上,蜜蜂一個個嗡
嗡的唱着來了.
在那塘邊,夏肥廟的門開了,讚佛的人已開始
唱他的歌.
盤兒放在你的膝上,你正搆着牛乳.
我傘着我的空罐子站在那兒◎

我未曾走近你的身旁.
天與廟裏的鐘聲同醒了.
路上的灰塵被牛羊的蹄兒揚起了.
帶着他們腰旁唻唻作聲的水桶;婦女們從那
河邊來了.
你的手釧兒釘釘鐺鐺的響着,乳沫滿到瓶外
了.
清晨恢復了,我未曾走近你的身旁.

(五)

一天朝晨在花園裏,一個盲女贈給我一串包
在荷葉裏的花圈.
我將這花圈掛在頸上,淚兒便到我眼裏來了.
我與她接吻,說道你瞎了,任憑花是怎樣.
「你自己就不知道你的贈品是多麼美麗啊.」

(六)

天已破曉，爲什麼這傍徨的少年趕着到我的門上來?

我每次進來出去，走過他面前，我的雙眼竟被他的臉兒擒住了.

我不曉得可該和他說話，或是應守沈默，爲什麼他趕着到我的門上來?

六月的雲夜是黑的，天色在秋季裏總是輭輭兒藍着，春日祇是不停的吹着南風.

他每用新鮮的音韻編他的歌兒.

我完了我的工作，我的雙眼已含滿了雲霧，爲什麼他趕着到我的門上來?

沈尹默

●除夕

年年有除夕，年年不相同：不但時不同，樂也不同．記得七歲八歲時，過年之樂樂不可當，——樂味美深，恰似錫糖.

十五歲後比較以前，多過一年，樂減一分；難道不樂?——不如從前爛漫天眞.

十九娶妻二十生兒：那時逢歲除，情形更非十五十六時，——樂既非從前所有，苦也爲從前所無．好比歲燭初燒光明，霎時結花，漸漸暗淡，漸漸銷磨．

我今過除夕，已第三十五，歡喜也慣，煩惱也慣，無可無不可，取些子糖果，分給小兒女，「我將已前所有的歡喜，今日都付你!」

●除夕

胡適

除夕過了六七日，

忽然有人來討除夕詩！
除夕「一去不復返」，
　如今回想未免已太遲！
那天孟和請我吃年飯，
　記不清楚幾隻碗；
但記海參銀魚下餃子，
　聽說這是北方的習慣。
飯後濃茶水菓助談天，
　天津梨子真新鮮！
吾鄉「雪梨」豈不好，
　比起他來不值錢！
若問談的什麼事，
　這個更不容易記。
像是易卜生和白里歐，
　這本戲和那本戲。
吃完梨子喝完茶，
　夜深風冷獨回家，
回家寫了一封除夕信，
　預備明天寄與「他」！

◉除夕歌

陳獨秀

古往今來忽有我。
　歲歲年年都遇見他。
明年我已四十歲。
　他的年紀不知是幾何？
我是誰？
　人人是我都非我。
他是誰？
　人人見他不識他。

他何爲？
令人痛苦令人樂．
我何爲？
拿筆方作除夕歌．
除夕歌，歌除夕；
幾人嬉笑幾人泣；
富人樂洋洋，
吃肉穿綢不費力．
窮人晝夜忙，
屋漏被破無衣食．
長夜孤燈愁斷腸．
團圓恩愛甜如蜜．
滿地干戈血肉飛；
孤兒寡婦無人恤．

燭酒香花供竈神，
竈神那爲人出力．
磕頭放炮接財神，
財神不管年關急．
年關急，將奈何．
自有我身便有他．
他本非有意作威福，
我自設網羅自折磨．
轉眼春來還去否？
忽來忽去何奔波．
人生是夢．
日月如梭．
我有千言萬語說不出，
十年不作除夕歌．

世界之大大如斗，
　裝滿悲歡裝不出他。
萬人如海北京城，
誰知道有人愁似我？

●除夕

劉半農

（一）

除夕是尋常事，做詩為甚麼？
不當他除夕，當作平常日子過。
這天我在紹興縣館裏，館裏大樹甚多。
風來樹動，聲如大海生波。
靜聽風聲，把長夜消磨。

（二）

主人周氏兄弟，與我談天；
欲招繆撒，(1) 欲造「蒲鞭」(2)
說今年已盡，這等事，待來年。
夜已深，辭別進城。
滿街車馬紛擾；
　遠遠近近，多爆竹聲。
此時誰最閒適？——
地上只一個我！天上三五寒星！

●三色花

玄廬

桃花紅，
　梨花落。
有人向著桃花笑；
　我們卻對桃花哭。
從前白旗底下看梨花，
　一白如雪萬人家；

如今不見梨花面！——
只見桃花含媚向朝霞。
一陣雨，一陣風；
桃花落地便無蹤。
「五月一日」天氣好，
來看榴花血樣紅。

◉往前門車站送楚僧赴法

志希

（一）

爍亮的電燈底下
映着幾道閃閃的刀光；
顫巍巍的重門，
對着一片陰悽悽的園場；
楚僧！——這是什麼地方？

五四以後的一夜，
你在門裏，我在場中；
三六以前的一夜，
我進門去，你在場中——
這都是昏黑的晚上。
可怕的矮樹，供我們的藏身；
可憐的帶刀人，做我們的侍衞；
那是什麼景況；
楚僧！我們今夜相別。——

（二）

車站的汽燈，
奪去了地上一圈圈朦朧月影；
可恨的汽笛兒聲聲催人離別。
你握着我的手，

我握着你的手，
却沒有半句話說。
放了手，睜睜的凝着眼睛，
睜到車慢慢的移，
那車箱外相招的帽影兒也漸漸淡下去了。
惟見那平常看過去漆黑的烟痕
遠遠映着北京城上現出深紅的顏色。
楚僧！我們今夜相別！

◉在上海再送楚僧　志希

（一）

碧瀚瀚的天，
按着渾塗塗的水，
中間襯出一縷黑一縷白的烟痕。
白舵士呵！你逆着一陣陣奔濤西向；
楚僧呵！那便是你的前程。

（二）

聽說海水能洗愛情。
楚僧呵！願你淨淨的一洗，
把你腦筋裏齷齪紛穢的祖國影片兒淘去，
辨不分明！
落個清新，
（白舵士係楚僧所乘船名。）

◉吊板垣先生　季陶

（一）

我正拿着一張報紙看，
忽然「板垣退助逝世」幾個大字，
接到了我的視線。
瞬刻間我的神經，

都被悲哀的感情繞遍。

（二）

可憐你奮鬥了六十年，
你的人道精神，
都被那些惡魔踐踏完。
我想起你門前冷落的情形，
我很代你不平。

（三）

你爲的「土百姓」
你要援助「穢多」、
你要搭救「非人」。
只造成了一個軍國主義的日本。

（四）

黑越越的芝公園、
冷清清的舊洋房、
靜寂寂的月光、
悶沉沉的鐘聲、
孤單單的白髮老先生。

（五）

你的耳聾了！
你的髮白了！
執權官人發財商人，
他們熱轟轟的享福，
誰記念你這無權無勢的白髮老先生！

（六）

你是一定要的板垣、
「自由」終是不死的「自由」！
「臾」的自由、

不如「求」的自由——
且看——死的板垣汚的自由。

●想

玄廬

（一）

平時我想你，
七日一來復。
昨日我想你，
一日一來復。
今朝我想你，
一時一來復。
今宵我想你，
一刻一來復。

（二）

予的自由，不如取的自由。

取得的自由，才是奪不去的自由。
你取你的自由，他奪他的自由。
奪了去放在那裏；
依舊朝朝暮暮在你心頭，在我心頭。

●悼周淡遊

玄廬

挾帶著粉碎虛空的勇氣，和創造的可能性。
經一番失敗，一番挫折，一番猛進。
前途總是光明，你與我和幾個朋友，都能自信。
從你去後：水一程，山一程，許多周折，許多消息！
只憑那兩三封郵信！
大不料紛糾不開的成都城裏，忽然一個電報傳來，說是淡遊畢命！
你當眞取完了所需？盡完了所能？
我不信！

只是人世間沒有你了！這話更向誰問？
不過我理想中的你是不死的！
死的還是他們那些人——

●悼黎仲實

執信

人家說：——
「人人只曉得時間就是金錢；
到了風刀欲斷，
絲喘猶懸，
坐垂堂縱有千金，
都買不轉百年如電。」
你看四大何曾值一錢。
雖然糟蹋了事業千秋、
到底沒有賣也、
你這光茶的貧賤；
你也不要再買也；
這烏兔匆匆幾十年。
你除開了看得破的功名，
難道有忘不了的恩怨。
任你享樂怎樣凡猥、
神智怎樣頹唐、
我知道你一會子吐繭絲纏、
霎時間抽刀水斷；
你這吐不出忍不來的痛苦、
都拚攏在你淚涸神枯的兩個眼。
你拋棄了將來、
來保護你的從前。
到了今天；

我眼裏享自由的仲實早已死了!
心裏鬧革命的仲實從此再無更變——
還有那活著便賣了從前的、
比你更可憐!——

◉問心

黃仲蘇

心啊!你祇管着我身體的血之循環,
那兒還該有什麼意志和情感?
但是你偏偏又有些知覺?
唉!你的功用究竟是什麼?
就是海,他也有一時寂寞波平浪靜,
何能似你這般思潮洶湧沒個安定,
有什麼不平:
風也似的長嘯在心上飛過,引起了你那不忍
聽的哀吟!
就是琴他也要人彈着方才透些絃音;
何能似你這般悲聲大放——不絕的長鳴?
你莫非念着那些和你一樣煩惱的衆生?
但是你力竭聲嘶,也要他們肯聽!
就是月:他也有短時期的完滿,
何能似你這般意象虧缺——於「美」不足?
你何所念戀
一味的對着這物如的世界啼笑乞憐?
就是鳥:他倦了,也停了歌唱,止了飛翔,
何能似你這般引吭高歌長征不倦?
唉!你唱些什麼?
你飛向何方?

雪花這樣大，你又不是楓葉，
那兒來的秋風便將你吹着戰慄？
你可看見那耐寒的老梅，他
還笑着開花？
我要打破煩悶之獄，你爲什麼不助？
我未曾狂飲「青春之酒」你何由而醉？
你病了麼？但是光兒還亮着，遍燭宇宙，
你無病麼？何苦呻吟？
唉！心啊！

你找着了你的伙伴！「動」，
可曾得着你的情人！「靜？」

◉太戈爾　譯　黃仲蘇

太戈爾是做多情的詩人，他愛他祖國印度他醉心於東方的文明，他看自然界的花草虫鳥日月星辰風雨山水等等如同是不能描寫的純潔的雋妙的美之無窮表示，世間唯有這種美，可以引起我們人類於宇宙誠摯而雄厚的愛情。因爲太戈爾能觀察了解宇宙，並能用音韻描寫萬象，所以他便成了宇宙的情人，同時也成了宇宙的詩人。他說「美不是語言所表示的，祇有音樂是美的語言」但是他的詩可美到極點，可惜我譯詩的能力，未能將原詩的美顯出萬分之一來。讀者如能求之字句之外，或是因看了我所譯的十幾首詩，而引起了研究太戈爾原歌的興趣，那就使我喜出望外了。

（一）

正當我床邊的燈熄滅的時候，我和晨興的鳥兒都醒了。

我蓬着我的頭髮，傍着我的窗坐着。

那少年遊客在那清晨的玫瑰色霧裏正向着這條路走來。

一串珠鏈掛在他的頸上，太陽的光線射在他的花冠上。他走到我的門前便止了步，並且帶着一個迫切的呼聲問道：『她在那兒？』因爲我十分羞愧，我不能說，少年的遊客啊，她便是我。

天已昏暗了，燈還莫有燃着。

我隨意掠起我的頭髮。

那少年遊客在斜陽的紅光裏，坐着兵車來了、他的馬在嘴裏噴出許多白沫，他的衣上也有些灰塵。

他在我門前停了車，並且用他疲乏呼聲問道：「她在那兒！」

因爲十分羞愧，叫我不能說，「她便是我，困倦的遊客啊，她便是我？」—

那是個四月的夜裏。燈正在我房裏點着、

清涼的南風，輕輕的吹過來，多言的鸚鵡在他的籠裏睡着了．

我的襯衣是孔雀喉的顏色，我的外衫是和青草一般綠．

我傍着窗坐在地板上．注目望着那荒涼的街道，

經過那黑夜我祇是低低的吟道；「她便是我，失望的遊客啊她便是我．」

（二）

一天又一天，他來了就走．

去，我友從我髮上取朵花給他．

如其他要問誰送這朵花，求你不要將我的名兒告訴他，

因為他祇是來了就走，

他坐在樹下的塵土上．

我友，請你舖一個花和葉的座位在那兒，

他的雙眼飽含憂愁他們也送了些憂愁到我心裏來．

他不說他心裏有些什麼，他祇是來了就走．

（三）

「到我們這兒來少年，誠實告訴我們，為什麼在你的眼睛裏有了狂醉？」

我不曉得我領了什麼野罌粟的酒，所以我眼睛裏有了狂醉．」

「哦，羞啊！」

「是啊，有些人聰明，有些人蠢，有些人注意，有些人毫不留心自有那眼睛笑也有那眼睛哭！我的眼睛裏有了狂醉．」

「少年，你爲什麽還站在那樹蔭底下?」
『我的雙足是被我那心的重負拖住了，我底站在那樹蔭底下?』
『哦羞啊?』
『是啊有些人奔走他們的前程，有些人遲鈍，有些人自由有些人受困——我的雙足是被我那心的重負拖住了。』

（四）

你不要將你心裏的祕密自己嚴守着，我友，
告訴我，你祇祕密的告訴我。
你那樣輭笑低吟，不是我的耳，祇有我的心能聽。

夜深了，屋子也靜了。鳥巢裏都盛着些美睡，
從可疑的淚裏，猶豫的笑裏，甜蜜蜜的羞愧和痛苦裏將你心裏的祕密告訴我。

（五）

哦，世界啊!我摘你的花，
我將他壓在我的心上，那刺戳我痛，
當白晝完畢，天黑了的時候，我才發現那花已萎了，祇是痛還留存着。
哦，世界啊!還有許多含着香和驕的花兒到你那兒來。
但是我摘花的時期已過了，黑夜一過，我便沒有我的玫瑰花，祇有痛還留存着。

（六）

他低聲說道，『我愛抬起你的眼來。』
我輕輕叱他說『你走！』但是他動也不動．
他立在我面前，握着我的手，我說「離開我！」
但是他不走．

他拿他的臉兒靠近我的耳，我望了他一眼，說
聲；『羞啊！』但是他不動，他的唇觸着我的頰，我
戰慄而說道，「你太大胆了！」但是他不以爲醜！
他插一朵花在我髮上，我說，「這是無用的！」
但是他還不動．

他從我的頸上取了我的花圈就走，我哭着問
我的心道，「爲什麼他便不回來了？」

（七）

我在路旁散步，我不知道爲什麼午晝一過，竹
枝兒在風裏搖曳作響、
斜欹的影兒用他們伸張的臂膀，挽留那迫促
的尾光。
『可兒斯』也歌唱得倦了、
我在邊路散步，我不知道爲什麼、

水邊的茅屋，是被一株高懸的樹蔭兒遮沒了．
有個人正在忙着他的工作，她的手釧兒在那
屋角裏作音樂的聲響，我立在那茅舍前面，我不
知道爲什麼．

狹小的曲路直穿過了許多菜田和許多檬果
的樹林．
這條路經過那村裏的廟和河邊的市場．

我立在那茅舍前面，我不知道爲什麼．

數年之前，那天是個和風三月天，正當那泉水汩汩的聲音流得厭倦的時候，檬果花兒落滿了一地．

波動的水跳躍，並且打着立且那在階旁銅盤．

我想着那個和風三月天，我不知道爲什麼．

黑影兒深了，牛羊都慢慢的回到他們的圈欄裏去．

光兒灰灰的照着那寂寞的草地，村人都立在河邊等着擺渡．

（八）

我慢慢回轉我的步，我不知道爲什麼．

『你要信托愛，任憑他帶了愁來，不要將你的心兒關閉了．』

『哦，我友，你的話語是暗昧，我不能懂啊．』

『我愛，心祇能帶着淚和歌付給別人．』

「哦，我友，你的話語是暗昧，我不能懂啊．」

「快樂易消如同是一滴露水，他一笑便滅了．祇有憂愁是堅實而耐久；讓你那含愁的情愛在你的眼睛裏醒來．」

「哦，吾友，你的語言是暗昧，我不能懂啊．」

『水蓮在太陽的光天開了，也就全行謝了，他不能在恆久的冬天霧裏保存着花苞．』

『哦，否，吾友你的語言是暗昧，我不能懂啊。』

（九）

告訴我，吾愛！說給我聽，你唱些什麼。

夜是黑了，星在雲裏失了，風在樹葉裏嘆息。

我願散開我的髮，我的藍衫如同夜一般圍繞着我。我願抱着你的頭在我懷裏，在那甜蜜的沈靜裏，有你心上的忐忑聲息。我願閉着眼聽，我將不看見你的臉。

當你的話說了的時候，我們將坐在那兒靜靜的不動，祇有樹在黑暗裏低聲密語！

夜將白了，天將曉了。我們互相注視，便去走我們不同的路。

告訴我，吾愛！說給我聽，你唱些什麼。

（十）

我愛你，吾愛；請你赦了我的情愛。

我像一隻迷了路的鳥，被人捉着了。

當我心搖動的時候，他失却他的帷幕、赤條條的無索掛，請你用憐憫遮蓋他，吾愛請你赦了我的情愛。

如其你不能愛我，吾愛，請你赦了我的痛苦。

不要遠遠的橫波盼着我。

我將偷偷的跑到牆角裏坐在那黑暗裏。

我將用我的兩只手蓋沒我清白的羞。

請你回過臉去吾愛，請你赦了我的痛苦，

倘使你愛我，吾愛，請你赦了我的愉快。

當我的心被樂河載走了的時候，請你不要笑

我危險的縱情，
　當我坐在寶位上用吾愛的專制管束你的時
候，當我像個女神用我的傲慢竊佑你的時候吾
愛，請你赦了我的愉快．

（十一）

在一個夢的黑路裏，我去尋找我前生的情人．
她的住屋是在那荒涼街道的盡頭．
在那薄暮的輕風裏，她疼愛的孔雀倦倦的立
在他的架上．那些鴿子全靜悄悄在那牆角裏．
她拼小那大門邊的燈，立在我的面前．
她抬起她的大眼，望着我的臉，啞聲問道，「吾
友，你好麼？」

我想回答，但是我們的語言已經丟了忘了．
我想了再想，我們的名字總不到我的心裏來．
淚在她的眼裏出來，她舉起她的右手給我，我
握着那手靜靜的站在那兒．
我們的燈在薄暮的輕風裏搖曳，便滅了．

（十二）

雖然是黃昏慢步來到，遞出記號，停止歌唱，
雖然是你的伴兒已去休息，你也倦了．
雖然是恐懼在黑暗裏生育，天的臉兒也將面
幕下了．
然而鳥哦，我的鳥啊，聽我講，不要收疊你的翅

膀.

那不是林間樹葉的蔭影，那是海水洶湧，好像
是條深黑的蛇.
那不是茉莉花叢的顫抖，那是突起的浪沫.
啊，何處是那有日光的綠岸，何處是你的鳥巢？
鳥哦，我的鳥，聽我講，不要收疊你的翅膀.

爲你沒有希望，也沒有恐懼，
沒有言語，沒有嘆息，也沒有涕泣.
沒有家室，也沒有安息的牀.
祗有你自己的一副翅膀，和無路的雲天.
鳥哦，我的鳥，聽我講，不要收疊你的翅膀.

（十三）

『我從你那願意的手得着什麼，我不多求別
的，』
『是的，是的，我曉得你，虛謙的乞丐，你索取人
所全有的，』
『假使有朵定情花，我願將他佩帶在心上.』
『但是如其有刺呢？』
『我願忍受啊.』
『是的，是的，我曉得你，虛謙的丐，你索取人所
全有的.』
『假使你一度舉起你的情眼向我望一望，這
就使我生命到死後都甜蜜.』
『但是如其祗有無情的白眼呢？』

『我願保存着他們，去碎裂我的心。』

『是的，是的，我曉得你虛謙的乞丐，你索取人所全有的。』

（十四）

你多疑的眼睛是很憂悶；他們想了解我的意義，好像是月要測量海有多麼深一樣，

我自始至終一點兒不隱藏，不吝嗇；裸露我的生命在你的眼前，這就是你不知道我的原故。

如其他祇是一塊鑽石，我能將他打成一百方碎片，穿成一條鏈兒掛在你的頸上。

如其他祇是一朵圓小的香花，我能從他的莖上摘下，插在你的頭髮裏。

但是，無奈他是顆心，我愛，何處是他的界岸和他的底呢？

你雖然不知道這個天國的界限，你還是他的女王。

如其他是一時的愉快，他能在微笑裏開花，你便立刻能看見他，攷察他。

如其他單單祇痛苦，他將溶化在淚點裏，不着言語，反映到最深的密願裏，

但是，他無奈他是情愛，我愛。

他的痛苦與快樂，都是無邊的，他的需要與富源都是無窮的。

他靠近你，如同你的生命一樣，但是你從來不能完全了解他。

（十六）

這什麼燈熄了？

我怕被風吹滅了，用外衫罩着他，所以燈便熄

了.

爲什麼花痿了?
我帶着熱誠的情愛,將他牢牢壓在我的心上,所以花便痿了.

爲什麼泉乾了?
我要用這水;便是泉中設了一個水閘,所以泉便乾了.

爲什麼琴絃斷了?
我試彈了一段,他力不勝任的節奏,所以琴絃便斷了.

（十七）

遊客,你該走麽?
夜靜了,黑暗暈倒在樹林裏.
燈在窗台裏亮着,花還新鮮活潑的眼睛仍舊清澈.
這是你離別的時候到了麽?
遊客你該走麽?
我們並沒有用我們懇求的手臂抱着你的脚.
你的門全開了,你的馬備好了,鞍轡在門外等着.
如其我們要阻礙你的行程,祇用我們的歌.
我們可曾挪你回來,祇是我們的眼.
遊客啊,我們無法留住你,我們祇有眼淚.

什麼不滅的火在你眼裏作燒?
什麼不止的熱在你血裏狂跳?
什麼呼喚從黑暗裏來催促你?
黑夜帶着封鎖的祕密消息,寂靜新奇來到你的心裏,你在天空的星裏致察到什麼嚴肅的符術?

假使你不留意於那些歡會,假使你應有安樂勞瘁的心啊,我們將滅了我們的燈,止了我們的琴.
我們還要在黑暗的碎葉聲裏,疲倦的月亮.還要射出操白的光線映在你的窗上.
哦,遊客,那是什麼常醒的精神從半夜的心裏來觸動你?

◉有希望麼

黃玄

（一）

我忘不了他的美,
但是難於描寫.
祇記得他是勇敢,他又是溫柔;
他們讚達他又是多愁.

（二）

他別我經年不給音信.
這其間的相思我只有淚洗心.
他忽然歸來向我微笑,與我接吻.
他安慰我,他勉勵我,一去無蹤影.

（三）

他是愛的結晶,絕世的美人,宇宙的情!
沒有他,誰還能生存?

我正待向着西風問他的歸程，
祇聽得窗外吹起一片秋聲…

◉有希望咧！　黃玄

（一）

他說：我來也忽忽去也忽忽，
何消迎送？
我本不是偶像，
也用不着虔奉
你們！奔赴前程，努力珍重；

（二）

我曾獨立空中，
高聲大呼，祇是喚不醒他們的酣夢；
我如今不撞碎了自由鐘，
才聽得一片聲喧。

嘆着說：「痛苦呀！苦痛！」

◉贈別魏時珍　黃勝白

（一）

窮光棍！我們是無條件的戀愛．
世間那個不窮？我們到底能愛．
你承認我只有個窮；你又說我渾身可愛．
是否愛的必窮？
是否窮才能愛？
窮光棍！我們元是無條件的戀愛．

◉隔海送時珍赴德　黃勝白

時珍！我敬愛的時珍！
你住在黃海底西岸，
我在黃海底東頭，
我們別來早已八年了！

你說你念到我們前日底舊情，
你自暗暗地流了許多眼淚………
哦，神聖的眼淚呀！
我哭我從前做錯了人，
你說你只想今後怎樣去做人，
你教我把從前的事情拋撇在大西洋海外；
你教我從今以後更創造出個我們的新我來．
哦，這是何等的熱愛橫溢的贈言呀！

（二）

時珍！敬愛的時珍！
我被你的愛，我被你的熱融化了；
我們的當中還有個甚麼黃海存在呀！
我們永久是狠真摯的好朋友！
我們永久是認快樂的小孩兒！
我們永久要如從前一樣地眉飛色舞！
我們永久要如從前一樣地露胆披肝！
我們怎麼會疏闊？怎麼會歧視？
我們的當中何曾有八年底契別存在呀！

（三）

時珍！我敬愛的時珍！
我正遠遠地望送着你呀！
你坐船到德國的時候，
那黃海裏面底濤聲，南洋裏面底濤聲，印度洋
裏面底濤聲，紅海裏面底濤聲，蘇彝士運河裏面
底濤聲，地中海裏面底濤聲………
都是我送別底歌聲呦！
我的靈魂遠遠地隨伴着你，
祝你的健康，祝你的平安，祝你的成功，

祝你做個我國底，全世界底未來的萊蒲尼池。
皋時曇謨和志阿時特苑德，
祝你在數學中，自然科學中，哲學中，煥發一段
新異底光彩，
祝你在數學史中，自然科學史中、增添出個「
時珍」底名字，
時珍！你的前途，眞是浩蕩呀！
大海一樣地，學海一樣地浩蕩呀！

（四）

時珍！我敬愛的時珍！
你過巴黎，你在前面見着那位沈毅的「思想
者」的時候！
你請替我問候他，你說：
「你在懷疑些甚麼？躊躇些甚麼？等待些甚麼？

我們的地球，好像才從母胎裏跳出的一般，
已變成了個烈光燦爛的激動磅礴的熾熱融
鎔的一團火塊。
你快奮起！你快去來！
你快做個二十世紀底新盤古，新耶火華，
努力，開闢，創造呀！」
時珍。我想你在那時候，
慕韓同太玄一定是在你左右.
你還替我告訴慕韓，告訴太玄，你說：
「我負了他們！
我這個無意識的，
已變成了個人體底原始細胞，
正在分裂着，增殖着，演化着，
看看地要有成個「人」的希望了！」

時珍！你同慕韓太玄相會的時候，
那歡愛底團圓當中也有我的靈魂存在呀！
我就千思萬想，直到月落天明，也甘心願意。
怕明夜雲密遮天，風狂打屋，何處能尋你？

●月

沈尹默

明白乾潔的月光，我不曾招呼他，他却有時來照着我；我不曾拒絕他，他却慢慢的離開了我。
我和他有什麼情分？

●四月二十五夜

胡適

吹了燈兒捲開窗幕，放進月光滿地。
對着這般月色，教我要睡也如何睡。
我待要起來遮着窗兒，又覺得有一點對他月亮兒不起。
我整日裏講王充仲身統阿里士多德愛比苦拉斯……幾乎全忘了我自己。
多謝你殷勤好月，提起我過來哀怨，過來情思。

●他們的花園

唐俟

小娃子，捲螺髮，
銀黃面龐上還有微紅，——看他意思是正要活。
走出破大門，望見鄰家：
他們大花園裏有許多好花。
用盡小心機，得了一朵百合？
又白又光明，像纔下的雪。
好生拏了回家，映着面龐，分外添出血色，
蒼蠅遶花飛鳴，亂在一屋子裏——
『偏愛這不乾淨的花，是胡塗孩子！』
忙看百合花，却已有幾點蠅矢。

看不得；捨不得。
瞪眼望天空，他更無話可說。
說不出話，想起鄰家：
他們大花園裏有許多好花。

◉窗紙　劉半農

天天早晨一夢醒來，看見窗上的紙，被沙塵封着，雨水漬着斑剝陸離，演出許多幻象——
看！這是落日餘暉映着一片平地，卻沒人影。
這是兩個金字塔，三五株椶櫚，幾個騎駱駝，拿着矛子的。
不好！是滿地的鮮血，是無數骷髏，是赤色的毒蛇，是金色的夜叉！
看！亂轟轟的是什麼？——拍賣場；正是萬頭鑽動，人人想出廉價收買他鄰人的破產物！

錯了！是只老虎，怒洶洶坐在樹林裏，想是餓了！
不是！是一蓬密密的髭鬚，襯着個的面孔，——
好個慈善的面孔。
又錯了。他已死，究竟是個老虎！
還不是的；是個美人——美極了。
看！美人爲什麼哭？眼淚太多了——看！——一滴！——兩滴——一斛！——兩斛！——竟是波浪滔滔，化作洪水！
看！滿地球是洪水，方船也沈沒了——水中還有妖怪，吞吃他尸首！
看！好光明，天邊來了個明星！——唉！——是個彗星！
「朋友！別再看，快發瘋了！」

「怎麼處置他」
「扯去舊的，換上新的.」
「換上新的怕不久又變了舊的.」

新青年五卷三號

●不過

(一)
不過一個小兒罷了;
今天壓死在場市的，
但是無涯的天國，
宿在他小心裏.

(二)
不過一粒沙罷了;
海的波浪靜的，
但是他總占着一個地方，
保持大陸的平衡.

(三)
不過一分鐘罷了;
現在想是無用了:
唉!沒有這一分鐘的鏈環，
便免去永刼的鍊.

新青年五卷三號

●贈君薔薇

(一)
臨別贈君薔薇一朵，
你快忘了那光景麼?
月光照到河上，
露珠宿在花心，
那聲音是充滿了溫柔的愛情;
但是唉!你的聲音錯了!
薔薇是像你的約，

白話詩選卷三、 寫情類

刺是像你的行爲.

◉冬天

胡適

冬天是蕭蕭瑟瑟的來了;
光景自然是暗淡的;
但是比到你的冷酷無情,
這冬天還像夏天一樣.
雪遇着了日光;
一刻兒就融解得沒痕蹟;
把你的誓約來比較,
那易融的雪還感看他耐久.

新青年五卷三號

◉兩個女子

(一)

兩個女子傾耳聽着海濤的聲音;——
妹說:『波浪可喜,

碎散時歌着的浪.』
姊說;「那悲音到我耳朵裏來,狠覺悽慘.」

(二)

兩個女子看着那墳墓——
一個微笑說『這是長眠的幸福地;
我能得長眠了,那眞是幸福.』
他妹子哭說道『呀救出你的希望;
這樣的寂寞!這樣的沈鬱!』

(三)

兩個女子注目到人生——
妹說:這樣的美麗,溫雅,光明,愛情,意氣,眞好.」
姊說「我看爭鬥得煩惱,太冷酷無趣了.」

(四)

兩個女子面對面的遇着死神——

姊說：「我心安着，把頭放在死神胸間.」
妹說：「他親一個嘴，就斷了我的呼吸；
我一定要跟着那死神嗎？」

◉吊姊

（一）

三十年來你撫育我，有如慈母.
四年前，求學海外時，
臨別語，還在耳；
今日歸家，祇賸遺影.
追往迹，淚如雨.

（二）

記得當時同在申江；
星期日常到校中來：
細問我：『要什麼？』

（三）

獨身主義，你今貫徹.
獨嘆我十九年華，
　愁眉未嘗一展！

（四）

你忍心離了我，
你怎麼忍心離了老父！
我想你是不忍去的，
我也不信你眞去；
恍忽間，你伴着同坐……！

◉如夢令

胡適

（一）

幾次曾看小像，幾度傳書來往.
　見見又何妨，休做女孩兒相.

凝想，——凝想，——
　想具這般模樣！

（二）

天上風吹雲破照見我們兩個．
問你去年時爲甚閉門深躲？
「誰躲？誰躲？
那是去年的我！」

◉悼曼殊

劉半農

（一）

這一個人死了，
我與他，只見過一次面，通過三次信．
不必說什麼『神交十年』，『嗟惜彌日』，
只覺他死信一到我神經上大受打擊；
無事靜坐時一想到他，便不知不覺說——
「可憐！——」

（二）

有人說他癡，我說「有些像」；
有人說他絕頂聰明，我說「也有些像」；
有人說他率真，說他做作，我說「都像」；
有人罵他，我說『和尚不禁人罵』；
更有人說他是『奇人』，却遭了『庸死』，我說
——『庸死未嘗不好』．

（三）

只有一個和尚，
百千人看了，化作百千個樣子．
我說他可憐，只是我的眼光；
却不知道他究竟可憐不可憐！

（四）

記得兩年前，我與他相見，
同在上海一位朋友家裏．
那時候室中點着盞暗暗的石油燈，
我兩人靠着窗口各自坐了張低低的軟椅．
我與他談論西洋的詩，
談了多時，他並不開口只是慢慢的吸雪茄．
到末了，忽然高聲說：——
「半農，這個時候你還講什麼詩，求什麼學問！」

（五）

「猶是阿房三月泥，燒作未央千片瓦，」
這是杭州某人的詩句．
我兩人匆匆別了，他有信來說，
「這兩句詩『做得甚奇．」
又約我去遊西湖說：——

「雪茄尚可吸兩月，湖上可以釣魚，一時不到上海了．」

●戀愛

自然的戀愛，你在什麼地方？
明明的月光，對着海洋微笑．

●虞美人 有序

胡適

朱經農來書云：「昨得家書，語短而意長；雖有白字，頗極纏綿之致．晨間復得一夢，於枕上成兩詞，錄呈適之，以博一笑。」經農去國纔四五月，其詞已有「傳箋寄語，莫說歸期誤」之句．於此可以窺家書中之大意也．因作此戲之．

先生幾日魂顛倒，他的書來了！雖然紙短卻情長，帶上兩三白字又何妨？可憐一對癡兒女，不

慣分離苦；別來還沒幾多時，早已書來細問幾時
歸！

◉病中得冬秀書　胡適

（一）

病中得他書，不滿八行紙，全無要緊話，頗使我
歡喜。

（二）

我不認得他，他不認得我，我說常念他，這是爲
什麽？
豈不因我們，分定長相親，由分生情意，所以非
路人。
海外『土生子』，生不識故里，終有故鄉情，其
理亦如此。

（三）

豈不愛自由？此意無人曉：情願不自由，也是自
由了。

◉關不住了　譯　胡適

我說『我把心收起，
像人家把門關了，
叫愛情生生的餓死，
也許不再和我爲難了。』

但是屋頂上吹來
一陣陣五月的溫風，
更有那街心琴調，
一陣陣的吹到房中。

一屋裏都是太陽光，
這時候愛情有點醉了，

他說：我是關不住的，
　我要把你的心打碎了！

●「應該」

胡適

我的朋友倪曼陀死後，於今五六年了。今年他的姊妹把他的詩文鈔了一份寄來，要我替他編訂。曼陀的詩本來是我喜歡讀的，內中有奈何歌二十首，都是哀情詩，情節很悽慘，我從前竟不曾見過。昨夜細讀幾遍，覺得曼陀的眞情有時被詞藻遮住，不能明白流露。因此，我把這裏面的第十五，十六兩首的意思合起來做成一首白話詩。曼陀少年早死，他的朋友都痛惜他。我當時聽說他是吐血死的，現在讀他的未刻詩詞，才知道他是爲了一種很爲難的愛情境地死的。我這首詩也可以算是表章哀情的微意了。

他也許愛我，——也許還愛我，——
但他總勸我莫再愛他。
他常常怪我；
這一天，他眼淚汪汪的望着我，
說道：「你如何還想着我？
想着我，你又如何能對他？
你要是當眞愛我，
你應該把愛我的心愛他，
你應該把待我的情待他。」
他的話句句都不錯！——

上帝幫我！

我「應該」這樣做．

●送叔永回四川

胡適

叔永走時，我曾許他送行詩．後來我的詩沒有做成，他已在上海上了船．不料那只船開出吳淞，忽然船底壞了！只好開進船廠修理．他寫信告訴我說還要住幾天．我的詩可不能不做了，遂做成這首詩，寄到漢陽杏佛處等他．

（一）

他還記得綺色佳城，我們的「第二故鄉」：
山前山後多少清奇瀑布，
更添上遠遠的一線湖光；
瀑溪的秋色，西山的落日，

還有那到枕的湍聲，夜夜像打秋林一樣？

（二）

你還記得：
我們暫別又相逢，正是赫貞春好？
記得江樓同遠眺，雲影渡江來，驚起江頭鷗鳥？
記得江邊石上，同坐看潮回，浪聲遮斷人笑？
記得那回同訪友，日冷風橫，林裏陪他聽松嘯？

（三）

這回久別再相逢，便又送你歸去，未免太匆匆！
多虧得天意多留你兩日，使我做得詩成相送．
萬一這首詩趕得上遠行人，
多替我說聲『老任珍重珍重！』

●小詩

有一天我在張慰慈的扇子上，了

兩句話：『愛情的代價是痛苦，愛情的方法是要忍得住痛苦．』陳獨秀引我這兩句話，做了一條隨感錄，「每週評論二十五號」加上一句按語道：「我看不但愛情如此，愛國愛公理也都如此。」這條隨感錄出版後三日，獨秀就被軍警捉去了，至今還不曾出來．我又引他的話，做了一條隨感錄，（每週評論二十八號）後來我又想這個意思可以入詩，遂用生查子詞調，做了這首小詩．

也想不相思，
可免相思苦．
幾次細思量，
情願相思苦．

◉自題藏暉室劄記十五冊彙編

胡適

從前有怡蓀愛你們，
把你們殷勤收起，深深藏好．
於今怡蓀死了，誰還這樣看待你們？
我怕你們拆散了，故叫釘書的把你們裝好．
你們不是我一個人做的：
因爲怡蓀愛看你們，誇獎你們，
故你們是我爲怡蓀做的，——
是我和怡蓀兩個人做的．
怡蓀死了，你們也停止了．

可憐我的怡孫死了！

◉十二月一日奔喪到家　胡適

往日歸來才望見竹竿尖，才望見吾村，
便心頭亂跳，遙知前面老親望我含淚相迎．
「來了？好呀！」——更無別話，
說盡心頭歡喜悲酸無限情．
偷回首揩乾淚眼，招呼茶飯款待歸人．
今朝，——
依舊竹竿尖，依舊溪橋，——
只少了我的心頭狂跳！——
何消說一世的恩未報！
何消說十年來的家庭夢想，都一一雲散烟銷！
——
只今日到家時，更何處能尋他那一聲「好呀，來了！」——

◉送存統赴日本　孫祖基

（一）

黃梅時節的雨兒，
黃浦江頭的潮兒，
都壓迫着叫你去！
你從萬惡叢中脫離；
憂悶得逼，
煩惱受盡．
存統——這不是失望！
蔚藍的天氣候着雲裏！
和緩的波浪停在水底！

（二）

黃梅時節的雨兒，

黃浦江頭的潮兒，
都壓迫着叫你去！
你脫離萬惡就是和樂麼？
你嘗徧苦痛就享福利麼？
存統——這也何常得意！
强盜的軍閥候着殺你！
掠奪的財奴停着囊你！

（三）

存統——你脫離一切，你總脫離不了世界！
「新社會，就建設在舊組織上，」
你何必失望．
你又何必得意！
你何必停留．
你又何必脫離！

◉送存統赴日本

哲民

黑沉沉的海水，
挾着怒濤：
彷彿怒你，恨你．
碧悠悠的青山．
對着你看，笑容可掬；
他在前面歡迎！
在後面送你！
靜悄悄的地球，
南極到北極看不見一點自然界的美．
東洋西洋美在那裏？
你到扶桑去游，
是不是目的在求美？
紅灼灼的花兒，

把全般的世界映得都通紅了．
你行了：排山倒海的革命潮，
好像挾着「血和淚」送你一程」．

◉送虞裳赴英倫

棘野

（一）

這沉悶冷酷的社會，好叫人難受．
虞裳！你走了！我也要走了！
南北東西，你先我後；
不知道那年月日又在那兒聚首．

（二）

甚麼南洋？甚麼歐洲？
甚麼離別？甚麼聚首？
只可恨我們走了，這社會還是依舊．
聽！呀這是甚麼聲音？

無聊……痛苦……難受…….

（三）

我們雖然走了，應該時時刻刻把這可憐的呼聲，嵌在心頭．
奇怪！這呼聲，却變了意義了，彷彿是：
努力……奮鬥…….

◉悵惘

柏柏

只如今我像失了什麼，
原來伊不見了！
伊的美在沈默底深處藏着，
我這兩日便在沈默裏浸着。
沈默隨伊去了，
教我茫茫何所歸呢？
但是伊的影子却深深印在我心坎裏了！

原來伊不見了，
只如今我像失了什麼？

●夜　田漢

旋律的世界？
沉默的大海？
嘍嘍的是甚麼聲音？
悠悠的是甚麼情緒？
我自己也難索解！
像一枝蘆葦臨風，
時而歌舞，
時而悲哀，
時而驚駭．

●雁語　田漢

（一）

唉！我飛也飛倦了．
呻呻！我叫也叫啞了．
闊闊的長天，我到何處尋一線光明？
漫漫的大地，我到何處尋一宵棲宿？

（二）

我今夜還是落在散沙洲？
我今夜還是落在沾土帶？
散沙洲，近在眼簾前，
沾土帶，遠在青天外！
聽說「散沙無情沾土有愛」．
我不落眼簾前，甯落青天外！

（三）

潤一潤叫啞了的喉，
整一整飛倦了的翼，

叫破這個長空，
飛穿這個大氣．
向有愛的地方，尋我的光明．
向有愛的地方，尋我的宿地！

◉春月的下面（題畫）　田漢

巖頭亂垂着落葉，
映着多情的好月；
巖下正臨着蒼波，
波上也帶些兒月色．

巖上如茵的碧草，
坐一個翩翩的年少，
着一件淡紅色的襯衣，
罩一身天鵝絨的夾襖．

花是這麼熱烈，
他是這麼純潔，
了不覺春寒，
露出胸兒如雪．

獨自淒涼的月下，
手撫流青的柔髮．
像歌德的訪南歐？
像擺倫的哀希臘？

莫提歌德的意國記，
莫歌擺倫的希臘歌，
願將濔濔的情懷，

託之脈脈的微波．

波面春風片片，
吹動愛神的琴絲，
髣髴一聲聲
「相見爭如不見」．

◉電火光中　　沫若

（一）懷古！Baikal湖畔之蘇子卿

電燈已着了光，
我的心兒却怎這麼幽暗着？
我一人在市中徐行，
我恍惚地想到了漢朝底蘇武．
我想像他身披一件白羊裘，
氈巾覆首，氈裳，氈履，
獨立在蒼莽無際的西比利亞荒原當中，
背後有雪潮一樣的羊羣隨着．
我想像他在個孟春底黃昏時分，
正待歸返（穹廬）
背景中貝加爾湖上的冰濤，
與天際底白雲波連山壁．
我想像他向着東行，
遙遙地正望南翹首；
眼眸中含蓄着無限的悲哀，
又好像猶有一毫的希望燃着．

（二）觀畫！Miliet「夕暮伴歸羊」

電燈已着了光，
我的心兒還是這麼幽暗着！
我想像着蘇與屬底鄉思，

我步進了街頭底一家畫賈．
我賞玩了一回四林湖畔底風光，
我又在加里弗尼亞州觀望瀑布……
哦，好幅理想的畫圖！理想以上的畫圖！
畫中人！你可不便是蘇武？
一個野花瀾縵的碧綠的大平原；
在我面前展放着．
平原中也有一羣歸羊；
收羊的人！你可便是蘇武麼？蘇武！
你左手持着的羊杖，
可便是你脫了旄的漢節麼？蘇武！
你背景中也正有一帶水天相連的海光，
可使是貝加爾湖，北海麼？蘇武！

(三)　讚像！Peethouen 底肖像

電燈已着了光，
我的心兒也覺這麼光燦着！
我望着那彌爾弈底畫圖，
我又在 Cosmos Pictures 中尋檢着！
聖母耶穌底頭，抱破瓶的少女…
在我面前翻舞．
哦，悲多汶！悲多汶！
我怎麼却把你來尋着！
你亂髮蓬蓬，力泉流着．
你白領高張，雪濤湧着！
你額如獅，眼如虎！
你好像是「大宇宙意志」底具體表著！
你右手持着鉛筆，左手持着音譜；
你筆尖頭上正在傾洒「音之雨」

悲多汶呀!你可在聽些甚麼?
我好像是在聽着你的 Symphonieo

●哭兒

侶琴

我這首詩可算是無韻詩,也可算是「講白話」「秋」吾吾兒的小名他在一九二〇年三月念一日死於外家

(一)

秋!
你張着眼去的,
爲什麼閉着眼回來!
你去的時候笑盈盈,
爲什麼回來的時候祇聽得一路哭聲?
我從前因爲要看書作文;
你來問字,我常討厭.
到如今我要你來問字,
致我那兒來找你?

(二)

秋!
記得去年在中學授課的時候,我嘗對學生說:
「你們這些字還不記得!
我的兒今年不過六歲,
英文雖沒有學過,卻是D,O,S等都可識得;還說得出 Shapehond;
還懂得 Moon 與 Rat 是什麼……」
去年寒天我和你借同川讀書;
我作文,你寫字;
你讀中華新國文,我讀斯巴哥與託爾斯太的着作;

我天天說幾句簡單的說話，你把他作成句子
抄在練習簿上面。
記得有一天你的舅舅來看我，
你正獨自抄書。
他看見了，就對我說：
「小學生總要到三四年級才可獨寫，
秋生讀書還不滿一年已經可以自動啊！」
我把你的練習簿翻給他看，
他還稱贊你一回。

（三）

秋！
你的死，有人說是天命；
有人說是惡鬼作祟；
有人說是神道無靈。

我卻不罵神，不怨鬼，也不信天命。
你的死，決不是神鬼和天命的責任；
祇是人的責任。
不是父母養護的不周，
便是醫生的躭誤；
雖是鍊丹求仙，
總得不到不死之藥；
然而不到衰老時期，決沒有必死之病。
我不恨神和鬼，
也不怪醫生，
我祇恨現在的社會！

（四）

秋！
你真是死了沒有？

還是我做夢嗎？
如果是夢，這夢却恨長了．
這夢中的情形我還十分淸楚．
好像我午前十時從吳江囘同里，
晚上十時你已死了；
好像我和你舅舅，
半夜裏哭囘章家浜，敲開家門；
好像接你還來的時候，
闔家大小哭個不了；
好像隔了兩日，
你就棺殮了；
好像你棺殮的時候，
我還檢出玩物七八樣裝汝棺內；
好像臨殮的時候，
我還親你的頰，覺得溫潤柔軟一如平時；
好像頭七二七，
明天已經是你死後的第三七了；
好像淸明日我和汝叔及伴汝睡眠的老媽子，
到你的殮舍來哭你；
好像我眞當你死．
哭兒詩也做好了．
究竟是夢呢？
非夢呢？
巴不得睜眼一看，
我和你仍在一塊！
巴不得逃脫這個夢境，
還到眞實的世界！
天！

我眞心要，并且十分願意要脫離這個夢的世
界；
還到我本來的眞實的世界！

◉送若愚時珍赴柏林劍翰赴巴黎　舜生

你們去，你們都去；你們去看
看畢斯山前，萊茵河畔，
現在是什麼天地？
深深的戰壕裏，還有沒有死者底血和骨？
繁華的巴黎市，有沒有孩子們想着他的哥哥
對着他那媽媽哭？
殘廢的壯夫，淒涼的少婦，
可是憔悴呻吟滿街走？
唉！你們在這種愁慘的天地，

不要忘了自己家裏苦難的姊妹兄弟！
你們去，你們都去，
我耐不過枯寂，我也將去，
但我今年還不去，
請你們把我這揑着一團子的相思帶將去！

◉窗外　康白情

窗外的閒月，
緊戀着窗內蜜也似的相思．
相思都惱了，
他還涎着臉兒在牆上相窺．
回頭月也惱了，
一抽身兒就沒了．
月到沒了，

相思倒覺着捨不得了.

●風的話

俞平伯

白雲粘在天上,
一片一團的嵌着堆着.
小河對他也板起灰色臉皮不聲不響.
枝兒枯了,葉兒黃了;
但他倆忘不了一年來的情意,
願厮守老醜的光陰,安安穩穩的挨在一起.
白漫漫雲飛了;
皺凳疊波起了;
花喇喇技兒擺,葉兒掉了.
聽哪!那邊;
呼呼,呼呼,
不做美的!……不做美的!……

葉兒花花的風前亂轉,
還想有幾秒鐘的留戀;
只是灰沙捲他,車輪碾他,馬蹄兒踹他,
沒有法兒懶洋洋的跟着走,
推推擁擁住住行行越去越遠.
幾技瘦骨光光的技兒留在風中搖動.
他心裏直想:
好時光遠了,披風拂水的姿容久已消散,
就是幾瓣黃葉兒也分手別離.
風啊!無情的你!
我要問你,爲什麼?
好朋友!我是永遠如此的;
沒有恨着誰,沒有愛着誰,
只一息不息的終年流轉。

向前！向前！
我的事！我和你——他們大家的事！
河岸頭幾尺高的枝椏我天天見你，
現在成了似繖般的大樹；
不該謝我嗎？
我曾經催你發新，助你長成，
才有今天的你；
忘了我嗎？
我本無心也不爲你，
你莫謝我莫怨我．
只那無窮極的自然運轉周流的造化，
高高籠罩我和你．
你謝．——謝他！
怨——怨他！

痴人！想守着你的朋友，
終老在枯槁的生涯．
眞能夠？眞願意？
前邊——擺列着無盡的春夏，無盡的秋冬．
努力去呀！莫誤了自己的生長！
我走我的路；你你的．
朋友！再見！
風兒呼呼的，
拔兒索索的．

◉愛情　新潮一·五·　駱啓榮

大雪滿天飛，路上行人絕．
貧婦抱兒道上行，兒在母親懷內泣．
貧婦向兒道『寶寶沒要哭，爸爸給你買餅吃．』
孩子停住哭，向着媽媽笑，

貧婦見兒笑，低頭和兒親個嘴。
他們雖窮苦，終有母子的愛情。

◉送客黃浦　新潮二•一•　康白情

（一）

送客黃浦，
我們都攀着纜——風吹着我們的衣裳，——
站在沒遮攔的船樓邊上。
黑沉沉的夜色，
迷離了山光水暈，就星火也難辨白。
誰放浮燈？——彷彿是一葉輕舟。
却怎麼不聞撓響？
今夜的黃浦，
明日的九江，
船呵！我知道你不問前途，
儘着奔那逆流的方向！
這中間充滿了別意，
但我們只是初次相見。

（二）

送客黃浦，
我們都攀着纜——風吹着我們的衣裳，——
站在沒遮攔的船樓邊上。
看看涼月麗空，
才顯出淡妝的世界。
我想世界上只有光，
只有花，
只有愛！
我們都談着——
談到日本二十年來的戲劇，

也談到『日本的光，的花，的愛』的須磨子．
我們都相互的看着，
只是壽昌有所思，
他不曾看着我，
也不曾看着別的那一個．
這中間充滿了別意，
但我們只是初次相見．

（三）

送客黃浦

我們都攀着纜，——風吹着我們的衣裳，——
站在沒遮攔的船樓邊上．
四圍的人籟都寂了，
只有他纏綿的孤月，
儘照着那碧澄澄的風波，
碰着船毘里綳壚的響．
我知道人的素心；
水的素心；
月的素心——一樣．
我願水送客行，
月伴我們歸去．
這中間充滿了別意，
但我們只是初次相見．

分類 白話詩選卷四

寫意類

◉一念 有序

胡適

今年在北京，住在竹竿巷。有一天，忽然由竹竿巷想到竹竿尖；竹竿尖乃是吾家村後的一座窮高山的名字；因此便做了這首詩。

我笑你繞太陽的地球，一日夜只打得一個回旋；
我笑你繞地球的月亮兒，總不會永遠團圓；
我笑你千千萬萬大大小小的星球，總跳不出自己的軌道線。
我笑你一秒鐘走五十萬里的無線電，總比不上我區區的心頭一念。
我這心頭一念；
纔從竹竿巷，忽到竹竿尖，
忽在赫貞江上，忽到凱約湖邊；
我若真個害刻骨的相思，便一分鐘繞遍地球三千萬轉！

◉鴿子 譯

沈尹默

空中飛著一羣鴿子，籠裏關著一羣鴿子，街上走的人小手巾裏還兜著兩個鴿子。
飛著的是受人家的指使，帶著鞘兒翁翁央央，七轉八轉遶空飛，人家聽了歡喜。
關着的是替人家作生意，青青白白的毛羽，溫溫和和的樣子，人家看了歡喜；有人出錢便買去，買去喂點黃小米．
只有手巾裏兒看的那兩個有點難算計，不知
他今日是牛還是死．恐怕不到晚飯時，已在人家
菜碗裏．

●最後的請願　譯

少年中國一卷九期

（一）

知道我們的要求，却不知道我們的能力，
我們的兄弟啊！聽我們怎麽說：——
自然的兄弟，衝動的兄弟；情熱的兄弟，痛苦的
兄弟，
你們的脈管藏我們的罪，我們的脈管流你們
的血，
或者第一在你的瓊宮，或者最後在我的茅屋．
至貧也好，極貴也好，我們通是人類！

永却的正義，代我們宣告！
這們的要求是不是極少；
『我們弄飯把你吃，
我們弄錢把你使，
請你分給我們的成，——
請你還還我們的禮』．

（二）

你們岸上有田，身上有錢，
我們捨死掙得來的「新富」又歸你們得，
我們就祇得了這點兒可憐的「施與」
支持這副精神的身體和淒愴的精神嗎？
當我們的精神一天天的狂暴起來，
又常常為這個「明日如何到」的麵包問
題，所苦的時候；

我們祇有死之一法——像我們許多朋友所
做的一樣，
否則便祇有奮勇當先殺出個死地，
向你們高叫道：
『我們弄錢把你們使，
我們弄飯把你們吃，
請你分給我們的成！
請你還一還我們的禮』

（三）

我們的要求決不會涉於激急！
你祇給我們應得的食糧和土地；
給我們的權利使我們平等自由，——
莫讓我們像現在這個樣子，祇看應該如何而
已．

倘若我們多得一點兒錢，你們少造一點兒罪
孽．
我們的男孩子一定很正經女孩子一定很純
潔！
哦，我覺得你們是束縛我們的心思，
逐你們的大欲，
你且聽我們暴烈的主張，顛狂的告訴；——
『我們弄錢你們使，我們弄飯你們吃，
請你們分給我們的成！——
請你們還一還我們的禮！』

（四）

現在雖然『時間』是你們的朋友，
請你們聽聽了請答復！
否則到了世界末日上帝會答覆我們的；

否則上帝一忍不住氣，
我們便是牠鑄就了的武器；
否則上帝的脚踏在你的頸根上，——
不許你再來利誘威壓，
宣告你的命運告終，
依上帝的裁判叫你死在人民報怨的鞭下！
『我們弄飯你們吃。
我們弄錢你們使，
請你們分給我們的成！——
請你們還一還我們的禮！』

（少年中國一卷九期）

●罵教會

這們多人沒地方睡去。
你們教會有甚好？
他們的怨恨這們深。

誰還能聽你們的禱告？
我所以流我的血捨我的身，
原望他們一律都有麵包和美酒；
你們得了的厚賜還不了，
并我賜他們的都歸了你所有！

（二）

你們怎麼不知道，你們已經知道，
你們應該爲你們的兄弟去作工，
正像我爲你們作工一樣，
因爲既然你們都是兄弟，
那麼便『明若觀火』；
就每人應該爲別人作工；
不應該千百人爲着一個——
那些懶入骨髓的高等游民：

如果要我聽他們的禱告，
祇有去『鑿井而飲耕田而食』!
便是天下第一條的正道!
我也沒有甚麼新奇的話和你們說，
都是我平日常說過的話；
但是你們把教堂建築在人家的白骨上，
又偷了他們的美酒麵包你們來吃.
你們這些扯謊的叛徒惡漢，
『額殼上却捧着我的名字，
只顧在你們兄弟的死上去生.
却不知我曾為救你們兄弟去死!』

◉黃蜂兒 譯 周無若

一個黃蜂兒跌在水裏.
他掙扎着飛；飛起來，還是跌在水裏.

水流得很慢，很得閑，夾着一疊一疊的樹影，
黃蜂兒很着急，只是掙扎着望上飛，但只在水裏.
翅子已溼了，再也飛不起來，只在水裏亂轉.
脚上的花糖兒，是他們盼望的，
他覺着很痛，心都已被水冲散了.
雖然望得見岸，他却只在水裏亂轉.
不知道他為甚麼？——生命麼？工作麼？
可憐水推着他走，經過了一疊一疊的樹影.
他歇一歇，又掙扎，但他還是在水裏.
呵，好了！前面排立着許多水草了.
但是，黃蜂兒，他却不動了.

◉春又來了 譯 黃蘇仲

近午的時候，我獨自坐在一塊草地上面對着

那書裏的鍾山不曉得想些甚麼；
明媚是蒼天軟軟兒鋪着幾片嬌嫩的白雲；太陽很和煖的晒着我；——藹然可親的望着我一陣陣清涼的東風，掠着我的頭髮，輕輕的吹過去。

那邊來了三個穿破衣的小孩子，競走跳躍跑到那路旁搶着去拾煤屑。一個最小的孩子被他們擠着朝天倒了，露出他那玫瑰似的面龐，映着紅豔的陽光。他一壁哭着一壁慢慢的又重行爬起來拭着淚微笑。

一個經冬復蘇的小蟲兒，斜着翅膀，緩緩的飛來。不巧風大了，他支持不住，便撞在我的手上，落在地上亂跳。

自由的畫眉兒，躲在一株靠近我坐處的樹上，便盡他悅耳的聲腔，唱些讚美自然的歌兒。他忽然縱身飛去，一根乾稍的枝兒，就被他折斷了，落在我的腿邊。

我抬頭望去，看見那樹上的嫩枝兒已在萌芽了。楛黃的草地也一樣雜了幾堆青草了。

●送許德珩楊樹浦　譯　康白情

（一）

『打呀！
罷呀！』
呼聲還在耳裏。
但事還沒做完
你不要去了。
但世界上那裏不應該打？
又何必一處？
『暴徒』是『破壞』的娘；

『進化』是『破壞』底兒
要得生兒，
除非自己做娘去！
奮鬥呵！——
努力加工，永久！

（二）

「有征服，
無妥協」
我們不常說麽？
犧牲的精神；
創造的生命。
哦！你不要跟着；
你但領着；
他們終歸會順着！

奮鬥呀！——
努力加工，永久！

（三）

送你一回；
送你一回；
又送你一回。
前門外細膩的月色，
水榭裏明媚的波光，
怎敵得楊樹浦這麼悲壯的風雨！
笛呀，輪呀，喧聲呀，
都彷彿在烟幛裏雄着嗓音喝道，
「好呀！好呀！別呀！」

楚僧

前途！珍重！

——！
「楚儈
——！——！
楚儈楚儈
斯——嗱！——」

◉題女兒小蕙像　譯　劉半農

你餓了便啼，飽了便嬉，
倦了思眠，冷了索衣；
不餓不冷不思眠，我見你整日笑嘻嘻．
你也有心，只是無牽記；
你也有眼耳鼻舌，只未着色聲香味；
你有你的小靈魂，不登天，也不墮地．
啊，啊，我羨你，我羨你！
你是天地間的活神仙！
是自然界不加冕的皇帝！

◉蘋果樹　夬公

南山裏一顆大蘋果樹，
樹上聚了一羣猴子，
喞喞喳喳好像在那裏會議．
老猴子說：
『這樹結了無數的果子，
我們佔住他，
不讓別人來．
一輩子還愁沒有的吃嗎？』
忽然一日颶風來了，
大樹連根拔起．
轟然一聲，
一羣猴子都落地．
老猴子又說：
『他倒了由他倒．

北山裏也有這樣的樹；
我們快些找去罷」。

●宰羊

沈尹默

羊肉館宰羊時，牽羊當門立；羊來芈芈叫不止。
我念羊，你何必叫芈芈？有誰可憐你？
世上人待你，本來無惡意，你看古時造字的聖賢，說你『祥』，說你『義』，說你『善』，說你『美』，加你許多好名字，你也該知道他的意：他要你，甘心爲他效一死！
就是那宰割你的人，他也何嘗有惡意！不過受了幾個金錢的驅使。
羊！羊！有誰可憐你？你何必叫芈芈？
你不見鄰近屠戶殺豬半夜起，聲聲豬悽慘，遠聞一二里，大有求救意。那時人人都在睡夢裏，那個來理你。

●落葉

沈尹默

黃葉辭高樹，翩翩翻翻飛，大有惜別意。
兩三小兒來，跳躍東西馳，捉葉葉墮地。
小兒貪遊戲，不知憐落葉；旁人冷眼看，以爲尋常事。
天公不湊巧，雨下如流淚，一雨一晝夜，葉與泥無異，黏人脚底下；踐踏無法避。
如葉有知時，舊事定能記，未必願更生，春風幸莫至。

●老鴉　有序

胡適

六年十二月十一日，重讀伊伯生之「國民公敵」戲本，欲作一詩題之，是夜夢中作一詩，醒時乃並其題而忘之。出門，見空中鴿子，始憶夢中詩爲「咏鴉與鴿」，然終不能舉其詞因爲補作成二章.

（一）

我大清早起，
站在人家屋角上啞啞的啼.
人家討嫌我，說我不吉利.——
我不能呢呢喃喃討人家的歡喜！

（二）

天寒風緊，無枝可棲，
我整日裏飛去飛回，整日裏挨飢.——
我不能替人家帶着鞘兒翁翁央央的飛，
也不能叫人家繫在竹竿頭，賺一撮黃小米！

沈尹默

◉大雪

小雪封地，大雪封河.
封河無行船，封地無餘糧.
無行船，乘冰床.無餘糧，當奈何？

劉半農

◉靈魂

（一）

靈魂像飛鳥，世界像樹枝；
枝在世界中，鳥啼枝上時.

（二）

一旦起罡風，毀却這世界；
枝斷鳥遠飛，半點無牽掛！

沈尹默

◉雪

丁巳臘月大雪，高低遠近，一望皆白，人聲不諠譁，鳥鵲絕跡.

理想中的仙境，「瓊樓」「玉宇」「水晶宮闕，」

怕都不如今日的京城清潔！
　人人都嫌北方苦寒，雪地冰天，我今却不願可
愛的紅日照我眼前。
　不願見日日終當出，紅日出，白雪消，粉飾仙境
不堅牢！可奈他何？

◉夢

唐俟

很多的夢，趁黃昏起鬨。
前夢纔擠却大前夢時，後夢又趕走了前夢。
　去的前夢黑如墨，在的後夢墨一般黑；
　去的在的仿佛都說，『看我真好顏色，』
顏色許好，暗裏不知，
而且不知道，說話的誰是？
．．．．．．
暗裏不知，身熱頭痛。
你來你來！明白的夢。

◉愛之神

唐俟

一個小娃子，展開翅子在空中，
一手搭箭，一手張弓，
不知怎麼一下，一箭射着前胸。
　「小娃子先生，謝你胡亂栽培！
但得告訴我我應該愛誰？」
娃子着慌，搖頭說，「唉！
你是還有心胸的人，竟也說這宗話。
你應該愛誰，我怎麼知道。
總之我的箭是放過了！
你要是愛誰，便沒命的去愛他；
　你要是誰也不愛，也可以沒命的自己去死
掉。」

白話詩選卷四　　寫意類

●桃花

唐俟

春雨過了，太陽又很好，隨便走到園中。
桃花開在園西，李花開在園東。
『我說，好極了！桃花紅，李花白。』
（沒說，桃花不及李花白。）
桃花可是生了氣，滿面漲作『楊妃紅』。
好小子！眞了得！竟能氣紅了面孔。
我的話可並沒得罪你，你怎的便漲紅了面孔！
唉！花有花道理，我不懂。

●『赫貞旦』答叔永

胡適

叔永昨以五言長詩見柬，已見赫貞夕，未覩赫貞旦。何當侵晨去，起君從枕畔」之句作此報之。

『赫貞旦』如何？聽我告訴你：——昨日我起

時，東方日初起，返照到天西，彩霞美無比。赫貞平似鏡，紅雲滿江底。江西山底小，倒影入江紫。朝霞漸散了，晴有靑天好。江中水更藍，要與天爭姣。你說海鷗閒，水凍捉魚難，日日寒江上，飛去又飛還，何如我閒散，開窗面江岸。淸茶勝似酒，麵包充早飯。老任倘能來，和你分一半。更可同作詩，重詠「赫貞旦」。

●心影

光佛

（一）

太陽沒了，「月亮爸爸」拜也拜不出。
疏疏淡淡閃閃爍爍的幾個星兒：
　硬要把人射住。
呀！你的光太小了。
透不過我的窗眼兒，照不進我的心坎兒。

（二）

我那「愛之神」祇有「面團團的圓餅.」
　除了他我也再沒有第二個靈魂.
無論是天南地北四海九州,
　我遇着他總是連忙招手.
　他見着我也是微微一笑點頭.
　我是半點兒不覺得含羞.

（三）

我愛——你來了——
　我渾身通亮全是借得你的光;
　就是有時候我化成無數的糞灰塵,
　我永遠忘不掉你那可愛的面龐.
你快快兒上——你慢慢兒晃——
　你多變幾個花樣——

　我熱騰騰的甜心總不會冰涼.
喂!——你為什麼一聲兒不響?

（四）

陡的一陣狂風,一朵烏雲,重重捲起;
　又加上半空中一個霹靂,
　震得人肝胆都碎;
我看不見你.
　是你用不着我?是我顧不得你?

（五）

呀——這是甚麼地方?
　四圍都是血一般的浪.
　太平洋?印度洋?大西洋?……
是不是你鬧的玩意?
　是不是你變的把戲.

你到眞有趣．我呢？

（六）

我到底捨不得你，我四處找你，
我不知道奔過了幾千萬里；
好容易到那裏：
仍然是找不着你的半點蹤跡．
你元來到處有人歡迎；
我想你一定在此地．
這是頂熱鬧的倫敦！
這是頂豔麗的巴黎！……

（七）

風也息了，雲也散了，浪也退了，電也不閃了，
你還是找不着．
連一線兒亮都不肯給我．

這樣空洞洞黑漆似的房子呵，——
四面都是高牆厚壁．
那來的血腥氣？那來的汗臭氣？
但是我一想到你：
這腥臭都變成世界上眞善美．
你是我的救主上帝．

（八）

我分明在那紅潮大海中，——
這裏又是些什麼胡同？
是不是你用魔術幻我來？
是不是我正在病『單相思』做『春婆夢』？
那不是金晃晃晶堪湛的一顆『寶星』？
爲什麼一剎那變了「珊瑚頂」？
繡上『嘉禾』又刻上『虎斑文』！

咳！我知道——這都是你的化身！——

(九)

我幾回夢裏聽見你喚我的小名．
說我愛：——你不要癡迷．你且罷休．
愛之神是平等．是博愛．是自由．
不是你一個人能彀私有能彀消受．
你若是真愛我呵，——
我的化身是『八個鐘頭』……．

(十)

我急忙想話來答應：
無奈我頭不能搖，口不能開，手也不能伸；一
身冷汗將我驚醒．
元來我是睡在一個破鼓中呵！
但是我心頭總永久留着你的團圓影……．

(註)湖州人叫銀元作「月亮爸爸」

●煩悶底煩悶

光佛

(一)

從一千九百十二年起熱烘烘鬧到於今．
到底是怎麼一回事？
有人說「我們只是爭閒氣．」
有人說：「爭閒氣還是第二層．
那第一件祗是要搶麵包吃．」
我想麵包也吃不了幾何，閒氣也爭不盡．
到平白接連陪了許多人斷送了許多性
命．
但是大家都向這條路上狂奔．拚命前進．不朝
後退，
這中間定有一番道理．

(二)

許多活着的上帝說：『死了快樂．生的苦惱……
……』
苦惱是人人都能感覺．都能領略．那快樂．除
了死的更有誰人知道？
不管是轟轟烈烈，是慘慘悽悽，是纏綿宛轉，是
痛快淋漓……那莫須有的靈魂總歸是一樣的．

(三)

他的大夢沒有醒；
你又來閉眼朦朧的睡；
　昏昏沉沉一聲也喚不應．
那赤烈烈的光呵，——
幾時才化作千點萬點的明燈，
　照見眼前的十八層八百由旬！

(四)

這是人生的究竟！新陳代謝的必然！
生了總歸要活，活了總歸要老．
老了總歸要死，死了就萬事都完．
　用不着號啕痛哭！用不着眷戀流連！
儘管放手踏步，作極樂世界的先鋒，
那後面還有多少新鮮活潑的青年．
却是從來有什麼人能彀回頭看？

(五)

看！看！那空中飛雁；
　一陣陣春來北向，秋後又歸南．
　　他也似乎知道『人間到處有青山』
却爲着趕熱趨炎終不得安間；
　這便是他的更可憐．

（六）

甚麼長青苔的石碑，上綠斑的銅像，全是假的！
　那裏是他？那裏又是你？
　一口氣不來，大家都是赤條條地．
那裏會見着世界虛空？那裏會踏着山河大地？
　那裏去爭閒氣？那裏去找麵包吃？

（七）

但是這樣一死，就完了事．
為什麼大家還要麵包吃？
　為甚麼大家還要爭閒氣？
到底是怎樣一回事？
　到底是怎樣一番道理？

●冰雪底終局

平陵

一泓悠悠的清水，
在那小池子裏瀰瀰的流．
時時皺起綠波，
蕩來蕩去眞個自由——．
驀地裏起了一夜的北風，
池面上鋪滿了一層的冰，
水是自由慣了、那堪被冰蓋住，
在下壓得好氣悶——．
抵抗不能；
呼冤無門．
沒有法子，被征服了；
可憐那自由的清魂——．

白話詩選卷四　寫意類

一剎那間，天公起了新變化；
大雪下來又蓋住了冰。
好呵！壓服你的來了。
這眞是上帝底好報應！——
冰！『你這微弱的粉片，也想來干涉我嗎？』
雪却微微的笑道：
『你放肆極了！
受些我底管束也好！』
咦！雖是强硬也沒奈何！
反被那微弱的東西壓服得——乒乓——咶
喇——繼續地在下哀號。
那自由的精魂受着那重重的壓迫。

又歡喜！又苦腦！　一八

俄而太陽來了，救死的光明來了！
射在那黑越越地球上，把勢力圈裏頭底黑幕，
照得爍亮，熔得雪消冰解。
冰啊！雪啊！你到那裏去了！
只見那一泓悠悠的清水，
仍在那小池子裏濊濊的流，
時時皺起綠波，
蕩來蕩去，還你自由。——
在旁有株瘦骨珊珊的老梅，看破了這個圈套；
不禁嘆口氣道：
『癡呵！癡

你們本是同根生;
何必如此！何苦如此！」

●偶像

玄廬

一個兇神惡煞,
一個笑眯眯的觀音菩薩,
你說他兩個相貌兩樣——
應當各有心腸?
原來兩個都是偶像,
兩個偶像在那裏說話?
你何必管他說什麼?
只要把偶像打破,
呵！呵！！偶像打破.

●雲與波

蔚南

母親，住在雲裏的人喚我道：——
『我們從醒的時候玩起直到一天完了;
我們與太陽玩耍還要與月亮玩耍.』
我問道：『但是我怎麼能到你們這塊兒呢?』
他們答道：『到地球的邊來伸起了你的手，向着空中,
你就可升入雲中了.』
我說：『我的母親在家裏等着我的，我怎麼好離了他來呢?』
他們就笑笑浮去了.
但我知道有比那再好的遊戲.母親：
我做雲你做月亮,
我將雙手來遮沒你，那麼我們的屋頂便是青天.

住在水裏的人喚我道：——

『我們一天到晚唱着歌，我們一路過去不知經過了什麼地方？』

我問道：『但是我怎麼能與你們一塊兒呢？』

他們對我說道：『到海邊來立着，緊閉你的眼睛，那麼你就能在波上走了。』

我說：『我的母親常望我夜間坐在家裏——我怎麼可離了他走呢？』

他們就笑着去了。

但我知道比這種游戲再有好的。母親：

我做波浪，你做了不知名的海岸。

我便衝着捲來，混着笑聲衝碎在你的膝上。

那麼世上沒有人知道我們兩個在那裏？

——大白

◉淘汰來了

（一）

回頭一瞧，淘汰來了！
那是吞滅我的利害東西哪！
不向前跑，怎的避掉！
待向前跑，也許跌倒！
唔！就是跌倒：
掙扎起來還得飛跑！
要是給他追上：
怎禁得他的爪兒一抓，牙兒一咬！

（二）

唉！淘汰阿淘汰！
你為什麼苦苦的追上來！
你要是追得慢點兒，
我還不妨偷點兒懶。

你如今追得這樣緊，
　我沒法兒只有努力的向前進。
唉！都是你苦苦的追上來，
累得我欲能不能，
還要惹人家稱奇道怪！

（三）

淘汰說：——
　『你別怪我！
你還得謝我拜我！
要不是我苦苦的追上來，
　你進步怎的這樣快！——
啊！我卻要怪你了！
要都像你這樣的拚命向前跑，
　我怎的得一飽！

你瞧：
　『倒是那倒行逆施迎上我來的糊塗東西好！』

◉石頭和竹子　康白情

瑩滑的石頭，
修雅的竹子，
他們在一塊兒：
一般的可愛，分不出甚麼高下。
但有時竹子的秀拔，還勝過石頭的奇峭。
哦，看呀！
拜喲！拜喲！
竹子都拜到風的脚下！
不拜的是石頭。

白話詩選卷四　寫意類

他頭上的細草搖搖吹動，
越顯出他軒昂的氣度。

接着一陣的雨．
歡喜冷浴的石頭；
竹子倒可憐得不像了．

翻了晴了，
太陽出來了，
他們彷彿又都抿着嘴笑了．

●毀滅　執信

讀胡適之先生詩．忽憶天文學家言：
吾所見星光有數千年前所發者，星光
入吾人眼中時，星或已滅矣．戲成此詩

二

一個明星離我們幾千萬億里；
他的光明却常到我們的眼睛裏；
宇宙的力量幾千年前把他毀滅了，
我們眼睛裏頭的光明還沒有減少．

你不能不生人，
人就一定長眼睛．
你如何能毀滅，
這眼睛裏頭的星！

一個星毀滅了，
別個星剛剛閃起．
我們的眼睛昏澀了，
還有我們兄弟我們的兒子！

◉懺悔的人格

一個舊朋友，從前本是爲人道進過幾多貢獻的人．可憐後來因爲許許多多的複雜原因，走到人格墮落的個路上去因爲人格的墮落．又感受了許許多多的痛苦．近來忽然有一封信給我，當中有幾句話說：「近一年來，大有覺悟：誓願此生竭力盡量，改造社會．無論能力夠不夠，效果有沒有．總抱定宗旨努力向前做去．決不再作政客的生涯。」我接到這封信，心裏十分的感謝．十分的快活．也不免了十分客感傷．我把這封信給一個朋友看．他說：「這固然很好；但是還要看他的將來如何？」我聽了這位朋友的批評，再把那位舊朋友的信，一字一字的又看了幾遍：我總狠讚美很感謝很敬重他這懺悔的人格．我默默的祝福他．希望他「努力」顯現他懺悔的人格，同時就可以用徵格的顯現力，芟除這位朋友所加的那種批評．他還有一首詩，我覺得也很深刻很沉痛．現在把他寫在下邊．　季陶

黑沉沉的房屋，
四圍上下不見一星兒光．
我們睡非睡，似醒非醒的，
眼前不知道是什麼境界：
只覺得孤寂，速悶，恐怖，悽涼．
我待要翻身：

好像有個毛茸茸的怪物在身上壓著.
拚盡力量與他底抗,
掙扎了好半天,
一動也動不得!
血管也脹滿了.
汗珠也出來了.
鐺!鐺!鐺!鐺!鐺!
壁上的鐘正敲了五響;
方才壓住我的東西那裏去了,
翻身過來,定神一看.
窗子上已微微的現著白光.
太陽呵!你快些出來呵!
有你的光明照着:
可怕的黑暗境界也就再不敢出現了.

◉「姓」甚　玄廬

（一）

問他:「姓甚麽?」
他說:「我姓三畫王.
我母姓黃,祖母湯!
曾祖母唐,高祖母梁!
還有高高曾祖母他姓張!
太高祖母是姓章」
問他:『為何不姓王章張梁唐湯黃?』
他說:『我父我祖曾祖都姓王』
原來他是宗父姓,
不知有母亦天性?
若是依人身體之『血本』.
究竟一人該姓甚?

(二)

「殺父猶可乃殺母?」
比之禽獸尤不如;
不廢父姓廢母姓,
難道女子血與人殊?
項伯賜姓劉,
鄭成功姓朱,
同姓有寇仇,
異姓或兄弟.
「圖騰」符號誰能記?
人間轉眼千百年,
何以解釋現在的國族?」

◉狂風

趙章强

(一)

狂風呼!呼!呼的到.
好像很得意的怒號.
黃浦江中,
蘇州河上,
來來去去的小船,
東歪又西倒;
「夥計們!快點靠!加勁的搖!」

(二)

狂風呼!呼!呼的到,
好像是很得意的怒號.
灰紗滿天塞,
斷草滿天飄,
路上縮頸的行人,
「冷呼!苦呀!」且叫且逃,

(三)

狂風呼！呼！呼呼的到，
好像是很得意的怒號。
我笑你只一時威勢，
我更不怕你絲毫，
我有我的目的地，
我只顧向前的跑。

◉樹與石　陳建雷

河岸邊生了一枝小小的樹，
却被一塊石頭架住了；
樹在底上壓得透不出氣，
氣呼呼的叫道，
「石兒倘若我被你壓壞了，我恐怕你也！
當落水了，你永久的住在水裏，沒有人來拔
起。你那時你全身冷得不堪，我的新枝兒却
生出來了。」

◉疑問　康白情

(一)

燕子！
回來了？
你還是去年底那一個麽？

(二)

花瓣兒在潭裏；
人在鏡裏；
她在我底心裏！
只愁我在不在她底心裏？

(三)

滴滴琴泉。

聽聽他滴的是甚麼調子?

(四)

這麼黃的菜花!
這麼快活的蝴蝶!
却為什麼我總這麼——說不出?

(五)

的油油綠韭畦中,
鋤着幾個藍褂兒的莊稼漢.
知道他們是否也有了這些個疑問?

●人與時

唐俟

一人說:將來勝過現在.
一人說:現在遠不及從前.
一人說:什麼?
時道:你們都侮辱我的現在.

從前好的,自己回去.
將來好的,跟我前去.
這這什麼的?
我不知你說什麼.

●戲孟和

胡適

這個說『我出了好幾次「險」,不料如今又碰着你.』
那個說:『我看你今番有點難躲避.』
這個說『我這回就冒天大的險,也甘心願意.』
我笑你倆兒不通情理.
就有了一分歡喜,不帶一分兒險,還有什麼趣味?

新青年五卷三號

●活動影戲

小兒跟着父親去看影戲,

白話詩選卷四　寫意類

影戲裏面—悲—喜—哀—樂—都有的．
小兒說：『我像活了一百歲，
各種境過都嘗到．』
父親說：『唉！世間那有不像戲的事情呢？』
新青年五卷三號

●小河呀！

小河呀！小河呀！
你為甚麼流得這樣急？
好好的去想想流罷，小河呀！

●三溪路上大雪裏一個紅葉

胡適

我行山雪中，抬頭忽見你！
我不知何故，心裏很歡喜；
踏雪摘下來，夾在小書裏；
還想做首詩，寫我歡喜的道理．

不料很難此理寫，抽出筆來還擱起．

●蝴蝶

胡適

兩個黃蝴蝶，雙雙飛上天．
不知為什麼，一個忽飛還；
剩下那一個，孤單怪可憐；
也無心上天，天上太孤單．

●他

思祖國也

胡適

你心裏愛他，莫不說愛他．
要看你愛他，且等人害他．
倘有人害他，你如何對他？
倘有人愛他。更如何待他？

●論詩雜記

（一）

『黃昏到寺蝙蝠飛,……芭蕉葉大梔子肥.』
此是退之絕妙語何須『塗改清廟生民詩』?

(二)

『學杜眞可亂楮葉,』便令如此又怎麼?可憐
『終歲禿千毫,』學像他人忘却我!

●希望 譯 胡適

要是天公換了卿和我,
該把這糊塗世界一齊都打破,
要再磨再煉再調和,
好依着你我的安排,把世界重新造過!

●樂觀 胡適

每週評論於八月三十日被封禁,國內的報紙很多替我們抱不平的;我做這首詩謝謝他們.

(一)

『這株大樹很可惡,
他礙着我的路!
來!
快把他斫倒了,
把樹根也掘去.——
哈哈!好了!』

(二)

大樹被斫做柴燒,
樹根不久也爛完了.
斫樹的人很得意,
他覺得很平安了.

(三)

但是那樹還有許多種子,——

很小的種子，褁在有刺的殼裏，——
　上面蓋着枯葉，
　葉上堆着白雪；
很小的東西，誰也不注意.

（四）

雪消了，
枯葉被春風吹跑了.
　那有刺的殼都裂開了，
每個上面長出兩瓣嫩葉，
笑迷迷的好像是說：
『我們又來了！』

（五）

過了許多年，
壩上田邊都是大樹了。

辛苦的工人，在樹下乘涼；
聰明的小鳥，在樹上歌唱，
那斫樹的人到那裏去了？

◉看花

胡適

院子裏開着兩朵玉蘭花，三朵月季花；
紅的花，紫的花，襯着綠葉，映着日光，怪可愛的.
沒人看花花還是可愛；但有我看花，花也好像更高興了.
我不看花，也不怎麼；但我看花時，我也更高興了.
還是我因爲見了花高興，故覺得花也高興呢？
還是因爲花見了我高興，故我也高興呢？——
人生在世，須使可愛的見了我更可愛；須使我見了可愛的我也更可愛！

◉上山

胡適

努力！努力！
『努力望上跑！』
我頭也不回，
汗也不揩，
拚命的爬上山去．
『半山了！努力！
努力望上跑！』
上面已沒有路，
我手攀着石上的靑藤，
脚尖抵住岩石縫裏的小樹，
一步一步的爬上山去。
『小心點！努力！
努力望上跑！』
樹椿扯破了我的衫袖，
荊棘刺傷了我的雙手，
我好容易打開了一線路爬上山去．
『好了！上去就是平路了！
努力努力望上跑！』
上面果然是平坦的路，
有好看的野花，
有遮陰的老樹．
但是我可倦了，

衣服都被汗濕遍了．
兩條腿都軟了．

我在樹下睡倒，
聞着那撲鼻的草香，
便昏昏沉沉的睡了一覺。

睡醒來時，天已黑了，
路已行不得了，
『努力』的喊聲也滅了……．

猛省！猛省！
我且坐到天明，
明天絕早跑上最高峯，

去看那日出的奇景！

◉一顆遭劫的星　　胡適

北京國民公報響應新思潮最早，遭忌也最深，今年十一月被封，主筆孫幾伊君被捕，十二月四日判決，孫君定監禁十四個月的罪．我為這事做這詩．

熱極了！
更沒有一點風！
那又輕又細的馬纓花鬚，
動也不動一動！

好容易一顆大星出來；
我們知道夜涼將到了：——

仍舊是熱仍舊沒有風，
只是我們心裏不煩躁了。

忽然一大塊黑雲，
把那顆清涼光明的星圍住；
那塊雲越積越大，
那顆星再也衝不出去！

烏雲越積越大，
遮盡了一天的明霞；
一陣風來，
拳頭大的雨點淋漓打下！

大雨過後，

滿天的星都放光了。
那顆大星歡迎着他們；
大家齊說，世界更清涼了！

●我的兒子　胡適

我實在不要兒子，
兒子自己來了。
『無後主義』的招牌，
於今掛不起來了！

譬如樹上開花，
花落偶然結果。
那果便是你，
那樹便是我。
樹本無心結子，

我也無恩於你。
但是你既來了，
我不能不養你教你，
那是對我人道的義務，
並不是待你的恩誼。
將來你長大時，
莫忘了我怎樣教訓兒子：
我要你做一個堂堂的人，
不要你做我的孝順兒子。

●你莫忘記　胡適

此稿作於六月二十八日。當時覺得這詩不值得存稿；所以沒有修改他。前天讀太平洋中劫餘生的通信，竟與此稿如出一口。故又把已丟了的改了一遍送給尹默獨秀玄同半農諸位，請你們指正指正。

我的兒，我二十年教你愛國，——
這國如何愛得！……
你莫忘記這是我們國家的大兵，
　強姦了三姨逼死了呵馨
　逼死了你妻子，鎗斃了高陞，……
你莫忘記是誰砍掉你的手指，
是誰打死你的老子，
是誰燒了這一村……
噯喲，……
火就要燒到這裏，——
你跑罷，莫要同我們一齊死！

回來

你莫忘記：

　你老子臨死時，只指望快快亡國；

亡給哥薩克，亡給普魯士——都可以；——總

該不至——如此……

◉光海　沫若

無限的大自然，
簡直成了一個光海了！
到處都是生命的光波，
到處都是新鮮的情；
到處都是詩，
到處都是笑：
海也在笑，
山也在笑，
太陽也在笑，
地球也在笑，
我同阿和，我的嫩苗；
同在笑中笑！

翡翠一樣的青松，
笑着在把我們手招。
銀箔一樣的沙原，
笑着待把我們擁抱。
我們來了。
你快擁抱！
我們要在你懷兒的當中，
洗個光之澡！

一羣小學的兒童，
正在沙中跳躍：
你撒一把沙，
我還一聲笑；
你又把我推翻，
我反把你揎到。

十五年前的舊我呀，
也還是這麼年少，
我住在青衣江上的嘉州，
我住在至樂山下的高小。
至樂山下的母校哟！
你懷兒中的沙場，我的搖籃，
可也還是這麼光耀？
唉！我有個心愛的同窗，
聽說今年死了！

我契已的心友呀！
你蒲柳一樣的姿風，
還在我眼底留連，
你解放了的靈魂，
可也在我身旁歡笑？
你靈肉解體的時分，
念到你海外的知交，
你流了眼淚多少？……

哦，那個玲瓏的石造的燈樓，

正海在上光照!
阿和要我登,
我們登上了.
哦!山在那兒燃燒,
銀在波中舞蹈,
一隻隻的帆船,
好像是在鏡中跑。
哦!白雲也在鏡中跑.
這不是個海呀?……生命的寫照?
阿和!那兒是青天?
他指着頭上的蒼昊.
啊和!那兒是大地?
他指着彼岸的洲島.
啊!和那兒是爹爹?
他指着空中的一隻飛鳥!
哦!哈我便是那隻飛鳥——
我便是那隻飛鳥!
我要同白雲比飛!
我要同帆檣跑!
你看我們那個飛得高?
你看我們那個跑得好?

◉巨砲之教訓　沫若

(一)

博多灣底海上,
十里松原底林邊;
有兩尊俄羅斯底巨礮,
幽囚在這日本已十有餘年,

正對着西比利亞底天郊，
比着肩兒遙遙望遠．

（二）

我戴着春日底和光，
來在他們的面前，
橫陳在碧蔭深處，
低着聲兒向着他們談天．

（三）

幽囚着的朋友們呀，
你們眞是可憐！
你們的眼兒恐怕已經望穿．
你們的心中恐怕還有烟火在燃．
你們怨不怨恨尼古拉斯？
懺不懺悔窮兵黷戰？
思不思念故鄉？
想不想望歸返？

（四）

幽囚着的朋友們呀，
你們爲甚麼都把面皮紅着？
你們還是羞？
你們還是怒？
你們的故鄉已改換了從前底故步。
你們往日底冤家，
却又闖進了你們的門庭大肆屠戮，
可憐你們西比利亞底同胞
於今正血流標杵．
…………」

（五）

我對着他們的話兒還未道全，
清涼的海風吹送了些睡眠來，
輕輕兒地吻着我的眉尖。
我剛纔垂下眼簾，
有兩個奇異的人形前來相見。
一個好像托爾斯太，
一個好像列甯，
一個漲着無限的悲哀，
一個凝着堅毅的決心。

(六)

「托爾斯太呀，哦！
你在這光天化日之中，
可有甚麼好話教我？」

(七)

「年輕的朋友呀，你可好？
我愛你是中國人。
我愛你們中國底墨與老——
他們一個教人兼愛節用非爭；
一個倡道慈儉不敢先底三寶。
一個尊「天」，一個講「道」。
據我想來天便是道！
「哦，你的意見眞是好！」

(八)

「我還想全世界便是我們的家庭，
全人類都是我們的同胞。
我主張樸素慈愛的生涯；
我主張克己無抗的信條。
也不要法庭；

也不要囚牢，
也不要軍人；
也不要外交。
一切的人能爲農民一樣最好！
哦，你的意見眞是好！」

（九）

「唉！我可憐這島邦底國民，
眼見太小！
他們只知道譯讀我的糟糠，
不知道牽循我的大道。
他們就好像一羣猩猩，
只好學着人底聲音叫叫！
他們就好像一羣瘋了的狗兒，
垂着涎，張着嘴，

到處逢人亂咬！

（十）

「同胞！同胞！同胞！」
列甯先生却只在一旁酣叫，
「爲自由而戰呀！
爲人道而戰呀！
爲正義而戰呀！
最終的勝利總在吾曹！
至高的理想只在農勞！
同胞！同胞！同胞！……」
他這霹靂的幾聲，
把我從夢中驚醒了。

◉努力

柏香

河的中流，

一着漁船蕩着.
槳師坐在船頭,
　兩眼向天望着.
『呀!天變了,
　風暴給我撞着!
看他兩橫風狂,……
　只好划開船讓着!』
容你讓麼?
　船身兒不住的的前後躺着.
『不讓了!』
　儘向浪頭上颺着…

船呢?
　往前了,和波濤搶着!
『有趣啊!有趣啊!』
　槳師口中唱着。
沸騰的浪花裏,
　忽隱忽現的兩枝槳兒盪着.
哦!遠了,遠了,
　只見一點黑影兒一起一落的漾着!
努力!努力!
　你們自己的世界,你們在創着!
努力!努力!
　直到死了,在洪流裏葬着!

◉赤裸裸

沈尹默

人到世間來本來是赤裸裸，
本來沒汚濁，却被衣服重重的裹着，這是爲什麼？
難道清白的身不好見人嗎？
那汚濁的裏着衣服就算免了恥辱嗎？

解放　新婦女一・一・

默園

（一）

解放在大海旁邊立着，
一羣婦女圍着他說道：
『那邊是平等世界，
吾們可以過去嗎？』
他說：『這樣茫茫的大海，
——還有人不要你過去——
你們怎樣過去！』

衆人說：『吾們決定了！
請你指示個方法，
吾們定要過去！』

（二）

解放點頭說道：『有了！有了！
你們就是橋樑，
你們就是船隻；
你們要過去，
就可以過去！
這海上一道白光，
便是你們過去的要道．
你們照着這條路前進——努力前進，
不要怕什麼波浪兇惡；
你們便可以過去便可以穩穩的過去！』

衆人聽了，說道：『好！好！……』

(三)

後面又來了一羣人——是不要他們過去的人，
想用很大的勢力，
壓迫他們回去！
但是他們早已過去——早已穩穩的過去！
那歡呼的聲音，
隔著茫茫的大海，
還可以遠遠地聽着！

●新光 平民教育 德|

(一)

一道新光如線，
射在陰沉沉的海面.
我說：『你們看如何？』
他說：『我們看不見。』

(二)

難道不是一樣，
同時射到四面八方.
原來你們帶着『色眼鏡，』
把眞實話反道說謊.

(三)

那光漸漸的大了.
射的我，『眼花撩亂』『手舞足蹈.』
猛回頭看見他們，
天哪眞好！

●冬天的青菜 新嘤東一 季晴|

天氣冷了.

每天早上白的濃霜，壓着那鮮嫩的青菜上，
好像要滅他生機的模樣。
多謝濃霜。
幸虧你加在身上；
使我心甜使我肥壯。

◉黑雲　工學一卷二號　范煜燧

黑雲層層叠叠，
滿天很光亮的星兒遮住了好多．
別的星兒爲他伙伴抱不平，說：
『黑雲！你是好漢也來遮住我！』
黑雲說：『你別大言，你且看我！
不一會兒，
天上地下不見一點光明；
祇聽得從黑雲縫裏透出來的聲音，說：
『自有東風，
把你颾到西方不見影．』

◉折楊柳　新空氣　蜀狂

平坦坦的路，
兩旁栽了青青的楊柳多處，
你看他
每到春來千絲萬縷，
隨風吹來吹去，
若等他成陰了，
也可以擋一擋驕陽的熱度．
路上的行人，
一樣狂傖，
忍把那青翠的桑條，
攀折個不住，

錯！錯！錯！誤！誤！誤！
你縱不憐他嫩綠新青，
你也要體貼那栽培人的心苦。
（摧殘教育的人聽者）（鄰）

◉理想的實現 時事新報 中秋夜作 震勛

（一）
明月！明月！
我盼久了！你爲什麼遲遲的不出？
你有強大的光輝，永久的性質，
你繞地周行，照遍世界，何曾遺漏了一名一物。

（二）
明月！明月！
你圓時少，缺時多；
難得你今宵光明分外，瀉影銀河。
江山換色，人浸月宮波。

（三）
明月！明月！
我歡喜你的照出，我又怕你將沉沒。
我要把萬丈長繩，絆住你當空的皓魄。
只是這根繩兒我又向何處去尋覓？……

◉鳥 新青年六・五・ 陳衡哲

狂風急雨，
打得我好苦！
　打翻了我的破巢，
　淋溼了我美麗的毛羽。
我撲折了翅翮，
　睜破了眼珠，

白話詩選卷四　寫意類

也找不到一個棲身的場所！

窗裏一隻籠鳥，
倚靠着金漆的闌干，
側着眼只是對我看．
我不知道他還是憂愁，還是喜歡？

明天一早，
風雨停了．
煦煦的陽光；
照着那鮮嫩的綠草．
我和我的同心朋友，
雙雙的隨意飛去；
忽見那籠裏的同胞，

四六

正撲着雙翼在那裏昏昏的飛繞：——
要想撞破那雕籠，
好出來重做一個自由的飛鳥．

他見了我們，
忽然止了飛．
對着我們不住的悲啼．
他好像是說：
『我若出了牢籠，
不管他天西地東．
也不管他惡雨狂風，
我定要飛他一個海闊天空！
直飛到筋疲力竭水盡山窮，
我便請那狂風，

把我的羽毛肌骨.
一絲絲的都吹散在自由的空氣中!』

——觀海

●霜 南洋十二.

起了一陣虎虎的北風,
不見了青青的樹葉;
只有縱橫的技幹點綴嚴肅的景色.
萬物初動的時候,
試向平原望去;
曉風薄霧之外,
却又鋪了一層疏散的白粉.
人哪,
草哪;
都受不起他的嚴寒,
忍不得他的摧殘.

呵!
你眞利害!
你眞猖狂!
但是太陽來了,
你却到那裏去了?

——仲蘇

●一隻飛雁 時事新報

這時候夜已深了:
寒月照耀,越顯得雲薄天高.
除却遠村犬吠林間落葉,
還有什麼聲音可以喚醒世界的酣夢呵?
半空裏忽然發了一聲狂叫,
是誰高歌?是誰長嘯?
這要死的寂寞,被那悲壯的呼聲驚破了!
波浪似的囘聲在空中擺動,好像是衆生呻吟

——
細訴他們的苦惱.
哦!原來是一隻拋棄伴侶的孤雁來了!
他環繞着我盤旋高叫,
猛可的又飛去了.
唉!雁呀!你這瀟灑超脫。長征不倦的飛鳥,
眞使我欣喜羨愛,——忘却萬般的煩惱.

——寒星

◉落葉　新生五活.

(一)
樹葉要生長,
風要吹落他,
他如何抵抗?

(二)
他落在地上,
悉悉索索,
發幾陣悲涼的聲響!

(三)
他不久要化作泥,
但是留一刻,
便要發一刻的聲響!

(四)
那是最後的聲響!
是無可奈何的聲響!
但是——終於是他的聲響!

——過——

◉一夢　女界鍾

同行一個山上,
『我最愛的妹子』,
忽然掉在山脚裏。

我聽伊叫道：
『哥哥你快來救我！你快來救我！』
我答道：『我一定救你。』
但是我終不能夠跑到山下將伊救起。
我又聽伊叫道：
『哥哥你快來救我！』
現在救我的人，便只有你！
我又答道：『妹子我一定要救你！』
但是我若是也到了山脚下，
又怎好救你？
你若要我救你，
你先要自己救自己！你只努力向山上爬起。
到那時候，
吾才好仆着山邊，
伸長兩手將伊救起。

◉本來干他什麼事　時事新報

王志瑞

（一）

鳥兒好好的在天空裏飛，
　他却要費心去促着，把鳥兒關閉在竹絲籠裏；
魚兒好好的在河水裏游，
　他又要費心去捉着，把魚兒強迫到小水缸裏；
蟲兒好好的在青草裏叫，
　他更要費心去捉着，把蟲兒禁押在瓦盆兒裏。

（二）

一回兒他望着籠裏，
鳥兒撒了他一面的灰；
他看着缸裏，
魚兒潑了他半身水；
那盆裏唧唧咕咕……的聲音，
又鬧得他不耐煩——不能入睡．

（三）

他就把鳥兒放還天空裏；
把魚兒放還河水裏；
把蟲兒放還青草裏．
我想：那些鳥兒，魚兒，蟲兒，本來干他什麽事？
他起初爲什麽要費心那些？
他以後可再要費心那些？

◉也算是一生　新潮一卷五號

勸

施誦華

他家裏有一位如花似玉的美人，時常似嬌如嗔的勸他說：『我們家裏有的是錢．況且你讀了幾年書，不會沒有名聲，何必再要到別處念書去，辜負了好時光．』

他母親對他說：『我只盼望子子孫孫安安穩穩的守着祖宗的烟火，好是吃墨水的人，總能體貼你娘的心．』

他聽了頻頻點頭，心想：『大米飯是現成的，綢衣裳是祖傳的，豐福是天賜的：何必再去僕僕風塵，辜負這有限的一生。』

夕陽斜照三尺孤墳，那裏着他的肉身；和天賦與他的責任！

◉雨　平民教育四．　負雪

雨，你本來是很純潔的東西．
　你只爲可憐這世界的齷齪，才拚命的下來將他洗洗．
誰知道這世界的齷齪，不曾被你洗去一點半點．
　反將你本來的面目弄得髒滑滑的．
當初你也不是喜歡齷齪的，
爲甚麽今天也跟着旁人在這齷齪堆裏？
唉！原來你是個『同流合汙』的賤東西！

●咱們一伙兒 新潮一・五・ ——傅斯年

春天杏花開了，
一場大風吹光．
夏天荷花開了，
一陣大雨打光．
秋天梔子開了，
十幾天接過的陰雨把他淋光．
冬天梅花開了，
顯他那又老又少的勝利在大雪地上．
杏花，荷花，梔子，梅花，——
你敗了，我開．
咱們的總名叫『花』，
咱們一伙兒．
太陽出了，月亮落了．
星星出了，太陽落了．
月亮出了，星星落了．
陰天都不出，偏有鬼火照照。
太陽，月亮，星星，鬼火，——

咱們輪流照着.
叫他大小有個光.
咱們一伙兒.

◉老牛　新潮二•一•　寒星

秋田岸上,
有一隻老牛戽水,
一連戽了多天.
酷熱的太陽,
直射在他背上.
淋淋的汗,
把他滿身的毛,
浸成了氈也似的一片!
他雖然疲乏,
却還不肯休息.

樹蔭裏坐着一隻小狗,
很涼快很清閑,
搖着他的小耳朵,
用清脆的聲音向牛說:
『笨牛!
你天天的繞着圈子亂走,
何嘗向前一步?
不要說你走得喫力,
我看也看厭了!』
牛說:
『我不管得我自己能不能向前,
也管不得你看厭不看厭;
好只我車下的水,
平流動穩,

浸潤着我一片可愛的秧田．』
狗說：
『到秧田成熟了，
你早就跑死了！』
牛說：『這件事．
我從來沒有功夫想到！
你也不必來管閑事，
還是去多搖幾搖尾，
向你主人要好食喫，
養得你肥頭胖耳，
快活到老！』

◉別她　新潮二・三・　俞平伯

厭她的——，如今戀她了——；
怨她的，想她了；
碎的，病的，齷齪的她，
怎麼不叫人恨，叫人怨，叫人厭．
我的她，我們的她；
碎了——怎不補她；
病了——怎不救她——
齷齪了——怎不洗她——
這不是你的事嗎？
我說些什麼好！
想躲掉嗎？怕痛苦嗎？
我怎敢！
我想——我想她是我的，我是她的——；
愛我便愛她，救我便救她．
安安的坐，酣酣的睡；
懦夫！醉漢！

白話詩選卷四　寫意類

我該這樣待我嗎?
我該爲她這樣待我嗎?
我背着行李上了我的路.
走!走!快走!!
許許多多的人已經——正在把他們的她治活了.
尋呀!找呀!找他們去!
雖然——漆黑面的大洋銀白髮的高山,
把她的可憐可愛可恨可念的顏色——朦朧朦朧——隔開我的視線.
但是愛她戀她想她的心,越把脚兒似風輪的催快.
迢迢的路途,直向前頭去.
回頭!呸!!

有這一天總有的:
瘦削的手,把越碎片的她補整了;
灰白的腦,把病懨懨的她救醒了;
鮮江的血,把黑越越的她洗淨了.
看!——心中眼中將來的她!
我去了,我遠去了!
朋友!你們大家……

◉我的伴侶　新潮二•一•　葉紹鈞

我的伴侶呵!——政客,官僚,軍人.
你也有微妙和愛的心靈;
但輕輕的遮着一層薄雲.
你也有承前啓後影響社會的責任;
但,淡淡的忘了.那裏是前程?
你躺在泥潭裏,不自知覺,

反道『現世便是黃金.』
你笑着說,得意着說,
我只聽得一片可憐的聲音.
你笑着做,得意着做,
我只看見一派可憐的行徑.
這聲音,行徑,籠罩着世界,是個什麼色彩?
我可憐你,也因可憐世界,可憐自己,——
世界是你我的住場,你我是進行的同隊.
你不想罷了,想了,那有泥潭裏可以安睡?
我祝禱你從泥潭裏跳將起來!
一點心靈把薄雲衝碎!
認清前程,把南鍼準對!

(二)

我的伴侶呵!你以爲你現在的行爲可以淑世?
我把『君子之心』度人,
也承認你的志願,熱心,勇氣.
但請看你那行爲的結果,是什麼樣子?
爲何有衣食不足的哀鳴?
爲何有精神煩悶的悲吟?
爲何單讓『物質』兩字形容那『文明』?
爲何令一般『憂世者』,理性不能調和感情?
恐怕你那志願,熱心,勇氣,是白用了罷?沒意思罷?
走錯了路,就該轉身,你也轉身罷!

(三)

我的伴侶呵!你現在的行爲,
以爲是維持生命必需的?
維持生命原是天賦的權利,人人應得.

到不能維持時，便當澈底討究，根本解決．
倘若委屈，求全，謀衣謀食；
生命果維持了，精神上怎不加上幾重鬱結？
再請你想，有別的方法維持生命嗎？
這是人生最緊要的事嗎？
維持生命的材料，像春郊的草，俯拾即是，
你却走了迂遠的路，埋沒了精神去取得他，
值得嗎？

（四）

我的伴侶呵！我祝禱你泥潭裏跳將起來！
一點心靈，把薄雲衝碎，
認對前程，把南針準對，
拋却你的政策威權兵器，
運用你的智慧，可以謀利世的計畫，撰利世的文字．
運用你的體力，可以製造器具，種植禾黍。
到這時，你是學問家，也是工人．
再請看世界，是不是更為光明？
你的生活，是不是更為幸運？

◉歸來太和魂　時事新報　康白情

太和魂，我底心醉了．
你所有的，大體都給我愛了．
算喲！
孤傲的山，
險絕的水，
炫縵的櫻花，
不是你底魂靈麼？

儉約的下馱，
干淨的席子，
忙不了的竹掃把，
不是你的肉麼？
悲壯的歌，
質撲的踊，
沈雄的劍，
有恥的腹切，
鹿兒島底戰卒，
贏得死戀底江戶子，
不都是你底兒麼？
哦，太和魂，
我所愛的，大體都給你有了．

只可惜你自己沒有花兒！

譬如染絲，
你好比白礬；
有了你顏色就亮了。
你却不問他是甚麼顏色。——
染於蒼就蒼，
染於黃就黃。

譬如釀酒，
你好比麴子；
有了你就醱酵了．
你却不問他拿去做甚麼．
飲交杯也用他；

配毒藥也用他。

又譬如機器，
你好比力；
有了你就動了。
你却不問他做的是甚麼——
或者縫衣；
或者舂米；
或者榴散彈也是他造的。

哦，太和魂，
只可惜你自己沒有稜兒，
你把道兒走錯了！

你爲甚麼可貴？
不是爲人間而可貴麼？
人間不用神怪，
不用獸性。

要你擁一人；
教你愛國；
却教你不要愛人間
『四大德』甚麼東西？
不只是奴性罷了麼？
我見你底神性；
見你底獸性；
却何曾見你底人性！

我最愛的江戶兒，
——不曾尚名譽修仁義，扶弱而抑强，以供人役使爲賤麼？
俠邪，江戶兒！
君子邪，江戶兒！
不也是太和魂底兒麼？
爲今，卻怎麼不見了？
不見江戶兒，
所以成其爲貴族官僚軍閥壓平民，而資本家壓勞動者底日本麼？
所以成其爲愛國而不愛人間徒見神性和獸性而不見人性底日本麼？
——羞喲！
山孤傲而無脈；
水險絕而能留；
櫻花眩縵而不終……
也是太和魂底靈麼？
日本呵！
不見江戶兒，
我爲你哭了！
哦，太和魂。
你還在麼？
你把道兒走錯了！
歸來，太和魂！
歸來，太和魂，
守你底靈；

養你底肉；
好好地帶看你底兒；
剗除你底蟊賊；
以你底血，洗你底汚；
不要作人間底仇，而作人間底友！

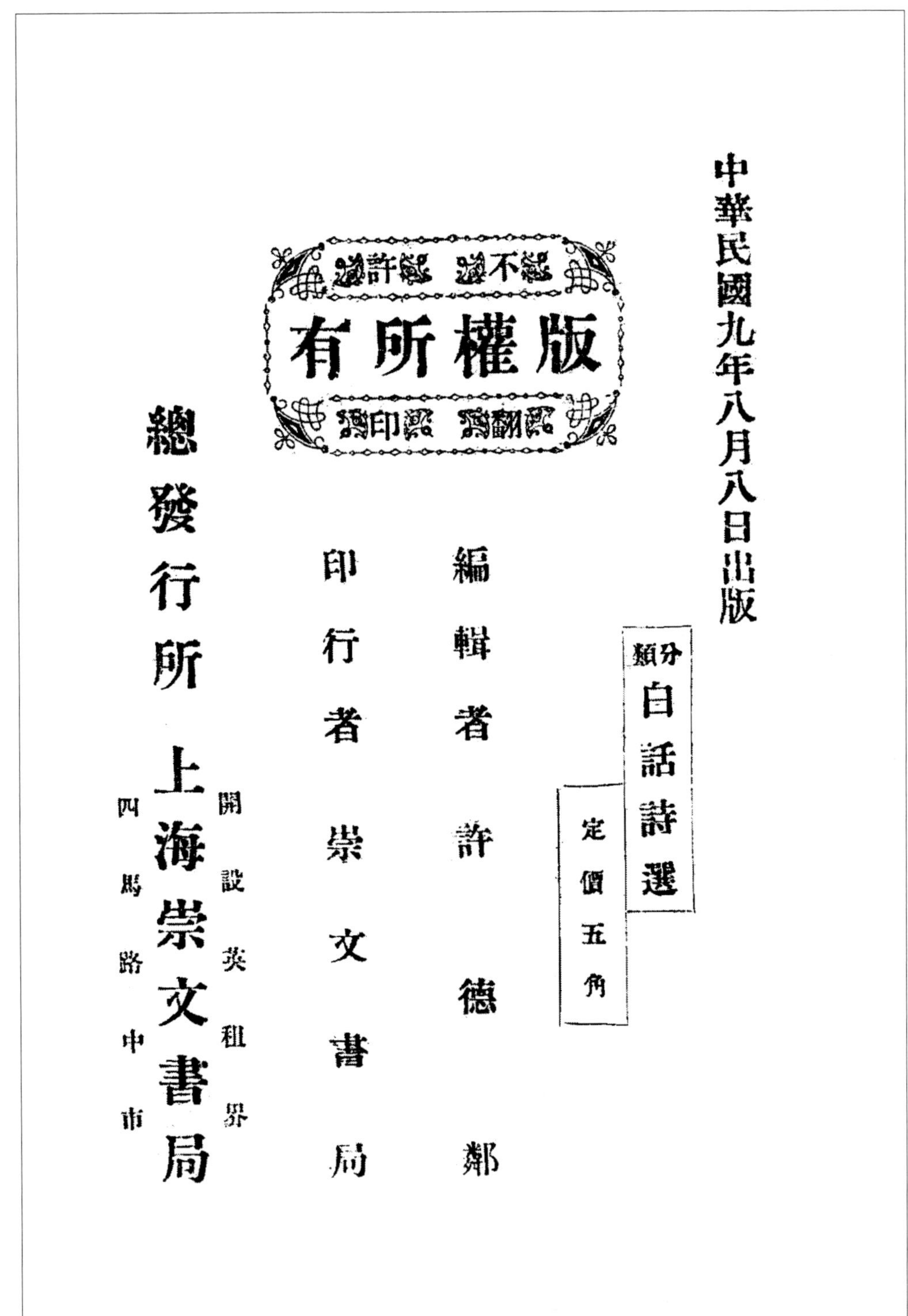

中華民國九年八月八日出版

分類 白話詩選

定價五角

編輯者 許德鄰

印行者 崇文書局

總發行所 上海崇文書局 開設英租界 四馬路中市

版權所有 不許翻印